林 順治
Junji Hayashi

隠された日本古代史 Ⅱ

存在の故郷を求めて

彩流社

はじめに

所以《ゆえん》あって本書を始める前に今年（二〇二三年）の私の賀状を次に紹介させていただく。

＊

２０２３年　新年のご挨拶を申し上げます

プール・図書館・映画館も加齢による減少一途の昨今です。今年は次のような本を拾い読み、書き、考え、かつ実践します。

１　トルストイの『戦争と平和』、ドストエフスキー『罪と罰』

３　ニーチェの善悪の彼岸とフロイトの晩年の本

４　聖書、石渡信一郎の古代史本、腸と脳の本

5　サルトルの『存在と無』、ハイデカーの世界内存在
6　漱石と啄木の本、フォークナーの『響きと怒り』
7　地球温暖化と気候変動対策
8　沖縄辺野古の海埋め立ての阻止
9　増大する日本の防衛費の大幅な削減
10　脱原発、脱プラゴミ、脱マスク、脱携帯
11　東京一極集中の阻止と地方再生
12　『幻の雄勝城』の脱稿、『隠された日本古代史』ⅡとⅢの刊行。

*

以上のような内容の賀状を新年の挨拶として二五〇枚ほど発送した。ところが同郷の友人にして尊敬すべきM氏から次のような賀状を受け取った。「トルストイ・ドストエフスキーを真《まっ》先《さき》に挙げたのはウクライナ侵略が念頭にあるからでしょうか」。

昨今、新聞・テレビを慌ただしくしている〝ウクライナ〟を賀状に入れなかった私は頭脳明晰な友人に説明をする義務を感じたが、それよりも自分自身がロシアとウクライナの知識がどれほどのものか整理・検証する必要があると考えた。

世界でも著名なイタリアのヴィットリ・デ・シーカを監督とし、マルチェロ・マストロヤン

ニ、ソフィア・ローレン主演の「ひまわり」がNHK BS3で二〇二二年一二月三一日の夕刻五時一二分から放映された。戦争によって引き裂かれた第二次世界大戦東部戦線を背景にした夫婦の悲惨な物語である。夫アントニオ（マストロヤンニ）の行方を探し求めてはてしなく広がるウクライナのヒマワリ畑を必死にさまようジョバンナ（ソフィア・ローレン）の姿は凄まじい。

ちなみにロケ地のヒマワリ畑はソビエト連邦時代のウクライナのキエフ（キーウ）から南五〇〇キロメートルほど離れたヘルソン州とされていたが、NHKの現地取材ではポルタヴァ州（ウクライナ中部・ドニエプル川左岸）の州都ポルタヴァの約二キロメートル北に位置するチェルネーチー・ヤール村とされている。

ところでドストエフスキーと言えば、晩年の『作家の日記』に「我々は皆ゴーゴリの『外套』から生まれた」と書いている。ゴーゴリの『外套』（一八四二年刊）は、サンクトペテルブルク（一時、レーニングラードとも）在住の下級官吏アカーキイ・アカーキエウィッチが唯一大事にしていた外套を追剥《おいはぎ》に奪われてから不幸になる物語である。

ゴーゴリを賞賛したドストエフスキーもロシアの偉大なる文芸評論家ヴィッサリオン・ベリンスキーによって処女作『貧しき人々』が激賞され作家となった。当時、ロシアの思想家・文芸評論家のほとんどはヘーゲル主義者であったが、ベリンスキー、ゲルツェン、チェヌイシェフスキー、ドブロリューボフのようなマルクスを理解する思想家があとに続いていた。

『ロシアは誰に住みよいか』の著者ネクラーソフは雑誌『同時代人』の主宰者だ。トルストイの最初の作品『わが幼年時代の思い出』はその『同時代人』から出版された。チェヌイシェフスキーは『わが幼年時代の思い出』を「かつてこのような弁証法的小説はあっただろうか。いやない！」と激賞しばかりか、トルストイが偉大なる作家になるだろうと予見した。

またドストエフスキーの『貧しき人々』の原稿を最初に読んだネクラーソフは、ベリンスキーの家に駆けこんで「新しいゴーゴリがでた！」と叫んだという。ドストエフスキーはベリンスキーの前で一晩かけて朗読した。ベリンスキーを崇拝していたドストエフスキーはベリンスキーの「ゴーゴリーへの手紙」を社会主義者のある集会で朗読した罪でペテロパブロフスク要塞に拘禁され、銃殺刑を言い渡されたがのち減刑され命は助かった。

ベリンスキーの「ゴーゴリへの手紙」は文学とは何か、誰のために書くのかなど政治と文学の本質にかかわる問題を投げかけている。ベリンスキーはゴーゴリに祖国ロシアに帰り国民の課題である農奴絶滅のために民衆に尽くすよう呼びかけたが、ゴーゴリはエルサレム巡礼に宗教的な救済を求め、ついに狂信的神父のもとで『死せる魂』の第二部の原稿を一切焼却して神父の指示による断食を始め、それが命とりとなって一〇日後に亡くなった。

ゴーゴリは民衆の心を描いたが、ゴーゴリの心は民衆の心から離れていった。ベリンスキーはゴーゴリの著作から民衆というものを知り、その民衆に奉仕することを主張したが、ゴーゴリは土足で追いかけてくる民衆を想像し恐れおののいた。そのことがゴーゴリの神経を痛めた。

ゴーゴリは文学の根底に秘められた政治との葛藤から宗教に逃避した。宗教や思想がいかなるものであっても、もはやゴーゴリを責めるべきではなかった。ゴーゴリはただ自分が愛し、軽蔑し、笑い飛ばす民衆やウクライナのコザック隊長タラス・ブーリバのような英雄を賞賛することであった。

ゴーゴリが二二歳のときに書いた『ディカニーカ近郊夜話』は「ロシアの導きの星」と崇められた詩人アレクサンドル・プーシキンに評価され一躍文壇の人となった。故郷ウクライナに伝わる民話に題材を求めた民族色あふれるロシア民衆の多種多様な物語はまるで千夜一夜のようにベリンスキーやプーシキンを驚嘆させた。

優れた詩人や作家の最初の作品がその作家や詩人の出自と現在を露わにするという法則があるならば、『ディカニーカ近郊夜話』はゴーゴリが冷酷で巨大な帝国のペテルブルグの夜から故郷のウクライナを描くことに成功した稀有な作品であった。望郷とはかつてあった世界を今はない世界から描くことだからである。

ゴーゴリは一八三〇年の二五歳の時に中編小説の『狂人日記』『タラス・ブーリバ』『肖像画』『ネフスキー通り』『鼻』を発表した。『狂人日記』や『鼻』が晩年の自分を予告しているのは、この天才作家が自己の運命を予知する能力の面でいかに優れていたかを証明している。

晩年『死せる魂』を焼き捨てて狂死したゴーゴリは、『狂人日記』の主人公ポプリシチーンにそっくりだ。役所に勤める四二歳の九等官が長官の娘に一目惚れしてついに自分がスペイン国王フェルナンド王と思うようになる。そしてポプリシチーンは「人は人間の頭脳は頭の中にあると思い込んでいるが、全然違う。人間の頭脳はカスピ海の方から風に吹かれてやってくるのだ」とつぶやき、三週間も休んでいた役所に冗談半分に出かける。

椅子の下に隠れるポプリシチーンはすでに精神病院に入れられた。そのことが分からないポプリシチーンの絶叫する最後は痛ましい、ゴーゴリが狂死したのもちょうどポプリシチーンが四二歳に一年プラスした年齢であった。

「いっぽうは海、もう一方はイタリア、それ、ロシアの百姓家が見えている。遠くに青く見えているのはわが家ではないか？　窓辺に座っているのはお袋じゃないか？　おっ母さん。この哀れな息子を救ってください！　この痛い頭に、せめて一滴、涙をそそいでください！　この哀れな孤児を抱きとってください！　広い世の中に身のおきどころがないんです！　みんなが追いかけてくるんです！　お母さん、この病気の息子を憐れんでください！　……ところでアルジェリアの総督の鼻の下に瘤があるのを知っていますかね？」（横田瑞穂訳）

＊　＊　＊

本書『隠された日本古代史（Ⅱ）』の第五章として『あっぱれ啄木――「あこがれ」から「悲しき玩具」』を収録している。「はじめに」の冒頭に〝所以あって〟と述べたのは次のようなことからである。

――啄木とロシアの文豪ニコライ・ゴーゴリは望郷の作家という点において似ている。二人は今現在でも読むものに「ある」と「ない」、「喪失と発見」「想像と現実」など人間存在の本質を問いかける詩人であり、作家である。啄木はその歌において、ゴーゴリは物語によって天才である。中間子論でノーベル賞をもらった湯川秀樹もゴーゴリと啄木が好きで二人を共通の天才と認めてはばからない（後述）。

しかし二人の天才は必ずしも作家として歌人として功なり名を遂げて豊かで幸福な生活を送ったかというと、けっしてそうではない。ゴーゴリは四三歳、啄木は二六歳と二ヵ月で亡くなった。「天才というものはそのようなものだ」と言ってしまえばそれまでだが、ゴーゴリは狂気のうちに、啄木は貧困と結核で死んだ。

ここで付け加えておかなければならないのは、この二人の不幸は思想と政治と社会に深い関係があることだ。世の中が悪いから不幸になったのではない。世の中の不幸と滑稽をよく表現したから天才なのだ。いみじくもゴーゴリは「自分の顔が醜いのに、鏡に怒って何になる」と語っている。

ゴーゴリの死はただ事ではない。暗殺されたのではない。プーシキンやレールモントフのように決闘で死んだのではない。悶死したのだ。ただ狂って死んだのではない。『死せる魂』の続編をうまく書くことができなくなったからである。

酷寒の釧路から作家になるため上京した啄木には森鴎外や与謝野鉄幹、北原白秋や若山牧水など友人がいたが、持参した小説の評価は芳しくなかった。生前に出版された歌集は一九歳のときの「あこがれ」と死去する一年半前の明治四三年の一二月に出版した『一握の砂』だけだった。

大逆事件後に啄木は「はてしなき議論の後」など六編を雑誌「創作」に発表し、これに「家」

「飛行機」を加えた『呼子と口笛』を纏めたが、啄木の生前には本が出なかった。友人土岐善麿（哀果）の尽力で東雲堂から第二歌集『悲しき玩具』が出版されたが、啄木が死んだ二ヵ月後であった。しかし啄木は直近のローマ字日記を含む多くの日記と小説・評論と書簡類を遺した。

　啄木の日記と書簡は啄木の天才を知る宝庫である。啄木が渋民で小学校教師をしながら書いた『雲は天才である』は未完に終わったが、渋民→函館→小樽→札幌→釧路→東京へと移動した約一年半を啄木は日記と書簡によって、『雲は天才である』の続きを地《じ》で突き進んだ。

　新聞記者を辞めて釧路から東京に向かう決意をする前後の激した啄木の日記は、ゴーゴリの『狂人日記』を思わせる。小樽・釧路における啄木の才能は十分に発揮され、ジャーナリストとして合格であった。文才と教養に加え、むしろ政治的組織能力さえいかんなく発揮している。のちに友人宮崎郁雨は啄木の構想の大きさと弁舌をもってすれば、小さな借金などせず大会社の社長になることが可能だったろうと回想している。

　啄木はジャーナリストとして父母や妻子を食べさせていくことができた筈である。釧路新聞の発行部数も自分の力でぐんとのびた。しかし啄木は仕事に飽きてくる。そして三月一八日「今日も休む。今日から改めて不平病。……〝さらば〟啄木は林中の鳥なり。風に随って樹梢に移る。予はもと一個のコスモポリタンの徒、乃ち風に乗じて天蓋に去らんとす」と釧路を去ることを決意する。

　問題は金と健康だけだ。しかし最大の課題は小説を書き、名をなすことである。自分の構想する小説さえうまく書きあげることができるならば、自分はもとより経済的にも精神的にも妻も子も母も父も満足させることができる。しかし上京後の啄木は小説を書いても認められず自殺まで考えるようになる。夜な夜な性のはけ口を求めて浅草に出かける。帰宅しては頭をかきむしり反省の日記をローマ字で綴る。

　啄木のローマ字日記は、『わが幼年時代の思い出』を出版する二四歳ころのトルストイの日記に似ている。トルストイは日記に自分の品行に○×△の印をつけたという。しかしトルストイは『わが幼年時代の思い出』を書くことによってそれまでの放蕩と決別した。啄木も本当の小説を書くことによって繰り返す自己の不健康な生活と決別しようとしたに違いない。

　藤村の『破壊』や漱石の『猫』を読んで「革命がない、偉大さがない」と言った啄木のことである。幸徳秋水らの死刑の記事を見て、「日本は駄目だ！」と絶句した啄木は、おそらくトルストイの『戦争と平和』に負けずとも劣らない「国家と不幸」の物語を構想したのかもしれない。しかし、案の定、啄木は健康に恵まれなかった。

　ちょうど老いたる母からの手紙を読んだ後に啄木は「新しき都の基礎」と題して次のような詩を作っている。「やがて世界の戦は来らん！　フェニックスの如き空中軍艦が空に群れて、その下のあらゆる都府が毀《こわ》たれん　戦は長く続かん！　人々は半ば骨となるならん！　しかる後、哀れ、しかる後、我等の新しき都はいずこに建つべきか？」と。

　あたかもまるで広島・長崎の原爆を予告しているかのようだ。ゴーゴリは『狂人日記』によって自己の運命を予知したが、啄木は「ローマ字日記」によって自分の死の間近いことを予知し、かつ明治国家の行く末も予告したのである。——尚、啄木とゴーゴリの共通性については本書「第五章　あっぱれ啄木」に収録した湯川秀樹と市川久彌の対談「天才の世界」を参照されたい。

二〇二三年一月三一日

林順治

目次

序　章　月面クレーター宇宙人名辞典
——WHO'S WHO ON THE MOON

◆はじめに

人間の驚異的な創意と犠牲によって、我々は宇宙時代を迎えることになった。人間は初めて地球を離れ、月に立ち地球をはるか遠く、実際月のように丸く、海のように青く眺めることができるようになった。この一点から、我々ははてしない未来と過去に想いを馳せざるを得ない。丁度、一九七〇年八月国際天文連合により業績があるそれに値する人々が月の裏面に記念された。同時に、ガリレオの以前と以後の月に裏面に記念された。すでにガリレオの以前と以後の月に記されている人々をも忘れることができない。

本書が現在将来に渡って、遠大なる時代と恵まれた人々への手がかりとなれば幸いである。最後に知恵ある平和な時代を切に望むわけもある。

林文献社

監修者のことば

去年の（一九七一年）の春もまだ浅い頃、研究室にいた私のところへ電話がかかってきた。林さんと名のられたけれど、私にとってはこれまであったことのないひとであった。たまたま手すきで時間があったので、早速大学の方へやって来るように言って電話を切った。まもなく林さんが現れた。驚いたことに数多くの文献と，うず高いカードの山をもってやって来た。

これらの文献やカードは、国会図書館にある資料を基にして作ったものだという。これらの文献やカードを基にして、月のクレーターに名前をつけられた科学者に関する事典を作りたいというのが、林さんの希望であった。

私はすっかり度肝を抜かれてしまった。自然科学者である私は、このような「文献学的」とでも言うべき仕事に不慣れで、ただ頭を下げるより他はない。実にゆき届いた調べがしてある。これが印刷され出版されれば、きっと世の中のためになるだろうということは、私の目にも明らかであった。ともかく、このようにして、私が林さんを助ける仕事が始まった。

具体的に言えば、林さんが次々に持ち込むうず高いカードの山を、一枚一枚チェックしながら読んでいくのが私の仕事となった。要するに、私はいつの間にか林さんのペースに引き込まれたことになる。

それと言うのも、一つには林さんの熱心が私を誘い込んだものであり、また一つには、カードに書かれた内容の興味深さに私が引き込まれたためである。そうは言っても、これは容易な仕事ではなかった。かなりの時間をくう仕事であった。

しかしカードを全部読み終え、林さんに渡した時には一種快い読後感が私に残った。そのような思い出のあるカードと文献がきれいに印刷され、いま私の目の前にある。全く感無量である。この仕事に打ちこんでこられた林さんには、私以上の感慨があるだろう。

本書の内容を一口で言えば、月のクレーターを通して見た人間文化史、ということになろう。科学者人名辞典としても役立つし、これから先の勉強のための文献も記入してある。ちょっと異色の事典と言ってもよい。本書が、広く世に迎えられることを希望したい。

一九七二年一月

東京大学理学部教授
地球物理学教室　竹内　均

本書の構成内容と制作過程

本書は参考文献、月面クレーター宇宙人名事典、月面地図、附録、索引によって構成される。

月面クレーター宇宙人名事典はさらに月の表面に記念されている人物と月の裏面に記念されて

いる人物に分けられている。詳細は「月面地図及びクレーター名称と位置」の解説を参照されたい。

本書の企画は一九七〇年九月、国際天文連合（I・A・U）から、月の表面に記念された人々が発表されると同時になされた。同総会に出席された東京天文台の関口直甫先生より基礎資料となるべきBiographical Dataを拝借し、多大なる恩恵を受けている。

またすでに月の表面に記念されている人物については、Wilkikins,H.P.とMore, P.の共著による『The Moon』より名前、国籍、生没を知りえている。この図書のすばらしさは、宮本正太郎先生、服部昭先生によって訳されているMoore, P.の『月―形態と観察』（地人書館、一九六五年）からも推測される。この二つの資料にRando Mcnallyの月面地図を加え、人名のリストを作成し、国立国会図書館の資料を中心にして作業を行っている。

調査の主なる目的は人物のFull Nameを探ること、当人の著作があるか、当人についての記録があるか、そしてこれらが日本語に翻訳されているか、紹介記事があるか等である。まず日本語による百科事典、人名事典、次に英語による百科事典、人名事典へと進行している。国立国会図書館の参考資料室にはこれらの資料が豊福であるが完全ではなく、特に伝記事典、人名録については一層系統的な収集を望まざるをえない。これら一連の調査によっても判明しないFull Nameについては、著作の有無を調べる段階で『British Museam General Catalogue』、『The National Union Catalog』等により、飛躍的に前進することができた。

こうして引用された欧文の著作は一八一六件に及ぶ。これら完全に整理され記録されている目録についてはただただ舌をまかざるをえない。『British Museam Catalogu』について言えば、二六三巻にわたる人名による検索可能な著作目録は大英帝国の歴史、ギリシャ、アラビア、ヨーロッパ等の文化の移動を彷彿とさせられ、一体、文化とは何か、国力とは何か、科学の発展とは何か、言語とは何か等自問し、考えこまざるをえない。

　国立国会図書館に欠如している Who's who 及び Biography については、アメリカ文化センター図書館、イギリス大使館付属ブリティッシュ・カウンシル等において、ほぼ目的を達成することができた。これら外国系の日本に在る図書館は自由で、雑々しくなく、必要で、ひかえめな Reference Service の機能を持っていることに大いに学ばざるをえない。

　このように調査に閲覧された目録、百科事典、人名事典は参考文献の最初に掲載されている。当初の目的に従い、日本語に翻訳されている著作は、国立国会図書館のカードより引用し、人物の経歴・業績と共に本文に掲載されているが、その数は五九六件に及ぶ。

　だれが、いつ、どこで、何をしたのかを知ることができることが重要であるようにそれらがいつ、どこで、誰によって記録され、伝達され、解釈されているかを理解することも同じく重要である。「科学」「天界」「天文月報」「東京天文台報」「東洋学芸雑誌」「日本物理学会誌」「日本数学物理学会誌」等より、上記の趣旨に従い、約一〇〇〇件の記事索引を作り、巻末にそれらの著者、訳者の索引を付し、尚、人名索引には読み方、生没を加え，具体性に富むよう努力している。これらの方法は国立国会図書館学資料室の高橋泰四郎先生に教えられることが大きい。

また参考文献は日本十進分類法に従って分類され、一二四〇件に及ぶ科学史と物理学、天文学、地学等の一般参考書については、すべて目を通したわけではなく、巻末の事項索引と合わせ、今後の研究、学習の便宜を考えている。

これら諸々の事柄は竹内均先生に説明し、本書の監修者を引き受けていただくことになった。竹内先生の広範囲にわたる学へのエネルギッシュな関心、決断力、理解に深く感謝致します。また本書の月面地図は京都大学花山天文台長宮本正太郎先生の御好意により初めて掲載可能となったものであり、先生の業績を深く敬愛するものであります。

以上、本書の製作過程を述べるとともに、宇宙の不思議さ、地球の不思議さ、人間存在の不思議さを想いながら本書を世に送る次第です。

一九七二年一月

林文献社　林　順治

◆目　次

第一章　応神＝ヤマトタケルは朝鮮人だった——異説日本国家の起源

◆はじめに

本当にあったこと

「隠れているもので現れないものはない」

日本で一番大きい古墳と二番目におおきい古墳に百済の王子が埋葬されています。二人は兄弟です。兄と弟は百済から渡来して倭国の大王となったのです。とはいっても、読者の皆さんはかんたんには信じないでしょう。あるいは何のことを言っているのかわからないかもしれません。日本古代史の話題がすっかり鳴りをひそめてしまったからといって、私は大袈裟に言っているのではないのです。

それでは別の例をあげましょう。日本に一一万余の神社があると言われ、そのうち八幡神社の数は約四万三〇〇〇社とされています。そして半数以上が応神天皇を祭神としています。その応神天皇が百済から渡来した兄のほうの王子だったとしたら、皆さんはどのように思いますか。九州大分の宇佐八幡宮や、それに鎌倉の鶴岡八幡宮も応神天皇を祭っているのです。みなさんの郷里にある八幡神社の祭神はきっと応神天皇にちがいありません。

私がこれから話すことは本当にあったことです。世の中には信じられないようなことが起こっているのです。「隠れているもので現れるものはない」という箴言もあります。太陽は東から昇り、西に沈みます。夜になり、朝が来ます。春には花が咲き、秋には落ち葉となり、冬には雪が降ります。しかしガリレオやコペルニクス、ケプラーやニュートンが登場するまで、私たち人間は地球が太陽のまわりを回っていることを知ることができませんでした。しかもその地球は宙に浮いて二三・四度傾きながら自転しているというのです。

今年（二〇〇九）はガリレオ・ガリレイ（一五六四―一六四二）が自作の望遠鏡で月の表面や木星の衛星や太陽黒点などを観測してから四〇〇周年です。ガリレオの天体観測が天動説を覆すことになりましたが、ガリレオは宗教裁判にかけられ有罪となりました。それから三五〇年後カトリック教会は過ちを認め、ガリレオに謝罪した話は皆さんもご承知のことです。

私がこれから話すことは宇宙の法則のことではありません。人間界の、それも日本古代史上の争いのことです。現に蘇我馬子の墓と言われる石舞台古墳は封土が失われ、累々《るいるい》と積まれた巨石が私たちの目の前に露わになっています。どうして墓の封土がなくなったのでしょうか。誰が暴いたのかは、本書の第五章と六章を読んでいただき、皆さんと一緒に考えてみたいと思います。

結論だけ言っておきますと、中大兄（天智天皇）と中臣鎌足が起こした乙巳《いっし》のクーデタ（六四五年）に勝るとも劣らないクーデタがその一一四年前の辛亥の年（五三一年）に起きているのです。ヘーゲルは「歴史的大事件は二度起きる」と言っています。『日本書紀』も『古事記』もこの最初に起きた日本古代史上最大のクーデタを隠そうとしたのです。

私の言う一番大きい古墳というのは大阪府堺市大仙町の仁徳陵です。二番目の古墳は仁徳陵から東へ一四キロメートルの羽曳野《はびきの》市にある応神陵です。仁徳陵の被葬者は余紀といい、応神陵に埋葬されている人物は昆支《コムキ》と言います。弟が余紀で兄が昆支（余昆）です。二人は百済蓋鹵王（在位四五五―四七五）の弟です。

仁徳陵は全長四八六メートルですが、応神陵はわずかに小さく四二五メートルです。前方後円墳の形もほぼ同じで、築造年代も一〇年とちがいません。応神陵の所在地は大阪府羽曳野市誉田六町目です。一位、二位を争う日本最大の古墳に、なぜ、百済から渡来した二人の王子が埋葬されているか、その秘密を解き明かすのが本書のテーマですが、単なる謎解きではありません。このことがわかれば、東アジアにおける日本古代の驚くほどダイナミックな姿が浮かび上がってきます。

二つの巨大古墳群の秘密

応神陵の所在地「誉田」は「コンダ」と読みます。応神陵は別名誉田《ほむた》陵とも呼ばれます。一度、声を出して、「コムキ」（昆支）・「コンダ」（誉田）・「ホムタ」（誉田）と発音してみてください。昆支の名「コムキ」が地名の「コンダ」や陵の名の「ホムタ」の語源であることがわかります。このことを発見したのは私ではありません。石渡信一郎という在野の古代史研究者です。石渡氏には『アイヌ民族と古代日本』（一九八四年）や『日本古代王朝の成立と百済』（一九九八年）の私家版があります。

石渡氏は『応神陵の被葬者はだれか』（三一書房、一九九〇年）で数々の発見を一般の読者に公けにし、「記紀」（『古事記』と『日本書紀』）に記されたアマテラスを皇祖神とする万世一系天皇の歴史を根底から覆しました。

氏は日本古代国家が新旧二つの加羅系と百済系の朝鮮半島からの渡来集団によって形成されたこと、昆支は「新」の百済系集団の始祖王＝応神天皇であり、誉田陵の被葬者であることを特定しました。本書によってその発見の数々を伝えるのも私の使命の一つです。というのは石渡説を素通りして日本の古代史を明らかにすることは不可能だからです。

仁徳陵のまわりには約五〇基の古墳がありますが、その古墳群を百舌鳥《もず》古墳群と言います。百舌鳥古墳群の真東にあたる羽曳野《はびきの》市の誉田山古墳（伝応神陵）を中心とする古市《ふるいち》古墳群は東西約三キロ、南北約四キロの範囲内にある一二三基の古墳から成り立っています。現存している古墳は前方後円墳二六基、円墳五基、方墳二二基、墳形不明三四基の合計八七基です。二〇〇八年一〇月一二日朝日新聞朝刊に「百舌鳥・古市古墳群の世界文化遺産への登録をめざします」という大きな広告を堺市がだしました。

『日本書紀』では仁徳陵はオオサザキという名をもっています。応神も誉田《ホムタ》という名をもっていいます。『古事記』では「誉田」を「品陀」と書いています。実は仁徳も応神も「漢風諡号《しごう》」といって、初代神武から元正天皇まで、淡海三船《おうみのみふね》（七二二―七八五）という奈良時代後期の文人が一括して付けた名と言われています。「和風諡号」の「オオサザキ」や「誉田」いう名がいつからそう呼ばれるようになったのかは正直なところよくわかりません。ただ、「誉田」（ホムタ、ホムチ）が「昆支」という人名から出ているのは確かです。

『日本書紀』によると応神天皇は二〇〇年に生まれ、二七〇年に即位して三一〇年まで在位したことになっています。ということは、応神天皇は一一〇歳で亡くなったことになります。『古事記』では応神天皇の在位期間はいっさいわかりませんが、「一三〇歳で亡くなり、墓は河内国恵賀の裳伏岡《もふしのおか》に在り」と応神が埋葬された墓が記されています。

いっぽう応神の子仁徳は三一三年に即位して三九九年に亡くなっています。仁徳については、『日本書紀』は「即位は八七年目の春に亡くなり、十月に百舌鳥野陵に葬る」と記しています。『古事記』は「天皇の享年は八三歳で、御陵は河内国の毛受《もず》の耳原にある」と亡くなった年齢と葬られた場所を書いています。

しかし応神天皇も仁徳天皇も亡くなった年齢・即位・在位の年代が古墳の実年代と大きく違っています。誉田陵（伝応神陵）も大山古墳（伝仁徳陵）も考古学的にみた築造年代は五〇〇年前後と推定されます。どうも『古事記』と『日本書紀』は、応神と仁徳については、記事が一致している点と一致していない点、隠していることと、隠さずに明らかにしていることなど記述が混乱しています。

そもそも『古事記』は天武天皇が私的な試みとして歴代天皇の系譜とその諸伝説を稗田阿礼に「誦習《しょうしゅう》させたものを太安万侶《おおのやすまろ》が最終的に纏《まと》め、七一二年に元明天皇に献上したものです。いっぽう『日本書紀』は、天武天皇のもとで六八一年編纂事業が開始され、約四〇年を要して養老四年、七二〇年に完成します。

天皇陵という名の聖域

応神陵も仁徳陵の考古学的学術調査を受けていません。ですから考古学的資料は皆無と言っても過言ではありません。「皆無」というのは厳密な意味では間違いですが、いわゆる考古学的調査研究の対象になっていないということです。宮内庁管理の陵墓は天皇陵が一一二、そのうち神武天皇から天武・持統天皇までの陵墓四一基のうち、とくに調査研究を必要とするのは古墳時代の三〇基ほどです。

しかし宮内庁が管理する陵墓参考地、皇后、皇族のその他の墓を入れるとその数は九〇〇基に達します。これら陵墓は現在、皇室による祭祀が行われているという理由で、研究者といえども自由に立ち入りすることはできません。

陵墓が現在のように管理が強化されたのは明治維新以降のことです。中世には天皇家の力が完全に衰退していたので、陵墓は荒れ放題でした。安閑天皇陵を取り壊して「高屋城」の本丸を築いたのは、応永年間（一三九四—一四二八）の河内守護だった畠山基国の時でした。

以後、高屋城（大阪府羽曳野市古市五丁目）は河内国を統治するための最適の本拠地として戦国武将の間で争奪戦となりました。現在、一帯は新旧入り混じった住宅地になっていますが、高屋城古墳の本丸も宮内庁管轄の立ち入り禁止区域になっています。

仁徳陵も江戸時代は堺奉行所役人の酒宴などを催す離れ屋敷になっていたそうです。堺町の近郊にある周壕に囲まれた仁徳陵は絶好の宴会場だったのです。現に上級の役人による記録が残っているそうです。中井正弘氏は『仁徳陵』（創元社、一九九二年）に次のように書いています。

> 後円部の埋葬施設はすでに盗掘にあい、石棺の蓋石の寸法も知られていた。墳丘頂上には、盗掘穴が大きく口を開け、かたわらに石室の天井石と思われる大石が露出したままになっていた。ところがこの頃、後円部の東側中腹に六畳三間、四畳一間合わせて五間の立派な勤番所が建てられていた。

現在、米国ボストン美術館には、仁徳陵から出土したと伝えられている獣帯鏡・環刀太刀の柄頭・三環鈴などが所蔵されていますが、銅鏡は百済武寧王（在位五〇一—五二三）の陵のものと親縁関係にあり、環頭も武寧王陵出土の鳳凰《ほうおう》を表わした環刀太刀と構成が酷似していると見られています。これらの副葬品がボストン美術館にあるのは不思議なことですが、次のような話が伝わっています。

明治五年（一八七二）九月、激しい暴風雨により仁徳陵の前方部墳丘が崩壊した際、石室・

石棺が露出したのを、当時の堺県令の税所篤《さいしょあつし》が陵墓の清掃を名目にして外に持ち出したのではないかというのです。また応神陵の墳丘部近くに鎮座する誉田八幡宮の国宝・金銅透堀鞍金具も、いつの頃かはっきりわかりませんが、江戸時代に応神陵から出土したものが納められていたにちがいありません。

しかしこれまで、大山古墳（伝仁徳陵）の実年代が確定されたとか、また、被葬者が特定されたとか、そのための発掘調査をしたというような話を一度もきいたことがありません。だからと言って、「登録提案」が無意味だと言っているのではありません。

問題は、仁徳陵を含む巨大古墳がほとんど宮内庁管理下にあり、考古学的発掘調査ができない聖域であるということです。登録提案者のなかには「記紀」まるのみの意見と言えるようなものもあります。研究者の独自の見解としてならば、それはそれでよいとしても、考古学的調査を抜きにしたこのような登録申請にどれだけの意味があるのでしょうか。

見瀬丸山古墳の公開を！

「百舌鳥古墳群の世界遺産への登録申請」の話を知り、以上のことを述べましたが、私には一つの提案があります。奈良橿原市見瀬町・五条町・大軽町にまたがる三一八メートルの見瀬丸山古墳のことです。この巨大前方後円墳は飛鳥駅手前の岡寺駅のホームからその偉容を覗かせています。古墳は前方部を除く後円部のみが参考地ですから前方部には自由に上り下りすることができます。

一九九一年五月三〇日、後円部の近くに住む住民の一人が、たまたま子どもが見つけた墳丘下部の穴から羨道を通って石室内部の写真をとったのです。写真を撮った子どもの父親からの連絡を大阪の朝日放送が受け、撮影写真の解析は東海大学情報センターとコニカの共同作業によって行われました。その年の暮の一二月二六日、テレビ朝日の「ニュースステーション」で石室内部の三〇枚の写真が放映されました。新聞各社も一斉にこの写真を報道し、年の暮の人々の度肝を抜きました。

見瀬丸山古墳は、すでに寛永七年（一八五四）と寛政八年（一七九六）の二度、石室内が探索され、寛永七年には二つの家型石棺が確認されました。さらに明治時代初期、イギリス人ウィリアム・ゴーランドがほぼ完全な内部構造の図面を作成しています。被葬者の候補は欽明天皇が最有力で、次は蘇我稲目です。欽明天皇と蘇我稲目（馬子の父）が同一人物であるとする説を考慮にいれるならば、かなり有力な説といえるでしょう。

見瀬丸山古墳の規模は全国六番目で、奈良県では一番大きい古墳です。横穴式石室の全長は二八・四メートルもあり、全国で第一の規模です。石室正面の花崗岩の巨石は一〇〇トンを超えると推定され、石舞台古墳の七五トンをはるかにしのぐ大きさです。私の忌憚のない意見は、この巨大古墳とその周辺を公園にし、石室全体をガラス張りして左右上下から見ることできる施設を造ることです。

もし、周辺住民、そして県内・県外・国外から奈良・飛鳥を訪れる観光客に公開するならば、きっと石舞台古墳に勝るとも劣らない人気を呼ぶことは請け合いです。いつか出雲地方の古墳巡りをしたとき、ガラス張りの石室をみたことがあります。ただでさえ、地方活性化を叫ぶ声が高い昨今です。調査発掘した上で建築工学の粋を結集して古墳丸ごとの考古博物館を作ればよいのです。こうした創意工夫や市民・住民・行政の積極的な参加があってこそ、世界文化遺産への道は開かれるのです。

◆おわりに

蘇我入鹿の「差別名」

三つの謡歌

蘇我入鹿の「入鹿」という名が父蝦夷、祖父馬子と同じように、『日本書紀』編纂グループによって付けられた「差別名」であったことを考えてみたいと思います。蘇我入鹿が林臣と呼ばれたことについては、私の前々著の『アマテラス誕生』（彩流社、二〇〇六年）の「あとがき」に次のように書きました。

蘇我大王家の始祖王昆支が「ソカ」大王と呼ばれ、その「ソカ」が「日十」「早」「日下」などと表記されることから、「早」という漢字の訓よみの「はやい」が「はやし」になって「林」に表記されるようなったと推測する。

皇極天皇四年（六四五）六月一日、蘇我入鹿は中大兄と中臣（藤原）鎌足の策謀にかかり、大極殿で佐伯連《さえきのむらじ》子麻呂《こまろ》と葛城稚犬養連《かつらぎのいぬかいむらじ》網田《あみた》によって切り殺されました。この日は雨が降り、水浸しになった庭にむしろを被せた鞍作《くらつくり》の屍《しかばね》は屏風で囲まれました。

「皇極紀」は三つの謡歌《わざうた》の解説で終わります。三つの謡歌とは、ちょうど一年前の六月に、国内が騒然として巫覡《かんなぎ》らが争って神託の言葉を述べ合っていたころ歌われたものです。

遥々《はろはろ》と　言《こと》ぞ聞ゆる　島の藪原
遠方《をちかた》の　浅茅《あさじ》の雉《きじ》　響《とよ》さず　我は寝しかど　人そ響す
小林《をばやし》に　我を引き入れて　奸《せ》し人の　面《おもて》も知らず　家もしらずも

大王入鹿の宮殿

第三の歌について『日本書紀』の訳者頭注は「ある人は〝小林に我を引き入れて奸《せ》し人の面も知らず　家も知らずも〟というのは、入鹿臣が突然宮中で、佐伯連子麻呂と葛城稚犬養連網田に斬られたことの前兆である」と解説しています。『日本書紀』の校注・訳者は、「小林」は宮中すなわち大極殿のことだと注釈しています。しかし「小林」がなぜ大極殿に通じるのか理由を説明していません。

　訳者頭注は一年前の皇極天皇三年六月の巫覡《かんなぎ》らが、蘇我氏の権勢に迎合して競って神託を述べた時の第三の歌については、「見知らぬ男と寝た女の歌」とし、「小林」については「小」を冠するのは「可愛い」の気持があるとし、「奸《せ》し」は「犯す」こととし、「林の中に私を誘い入れて犯した人の、顔も知らず、家も知らないことだ」と解釈しています。

「小林」の「小」の「を」が「お」に対して、「小さい」「弟」などの意味があることはわかるにしても、同じ謡歌に二つの異なる解釈が成り立つのは納得できません。それはそれとして、第三の謡歌では「林」がキーワードになっていることは確かです。私は、「小林」は「小さい林」＝蘇我入鹿、すなわち蝦夷の子入鹿が大王として住んでいた宮殿と推測します。さらに一年前の皇極二年の一〇月条に次のような謡歌があります。

岩の上に　小猿米焼く　米だにも　食《た》げて通らせ　山羊《やあしし》の小父《おじ》

　この謡歌は蘇我入鹿が上宮の王たちを廃して古人大兄を天皇にしようと画策した時に謳われたものです。この歌については「岩の上で小猿が米を焼いている。せめてこの焼米でも食べてお行きなさいよ、カモシカの小父さん」と解釈されています。

　この年の一一月入鹿は斑鳩《いかるが》寺にいる従弟《いとこ》の山背《やましろ》大兄を襲撃させ、一族もろとも焼き殺したのです。父の蝦夷は山背大兄たちがすべて入鹿に滅ぼされたことを聞いて「ああ、入鹿は実に愚かで、横暴な悪事ばかり行ったものだ。お前の生命も危ない」と言って嘆きました。時の人は「小猿焼く」の謡歌を次のように解説しています。

> 「岩の上に」は、上宮を喩えている。「小猿」は林臣を喩えている〔林臣は入鹿である〕。「米焼く」は上宮を焼くことを喩えている。「米だにも食げて通らせ山羊の小父」は山背王の頭髪がまだらで乱れており、山羊（かもしか）に似ているので喩えて言った。

忌み嫌われた鹿

入鹿をふくめて蘇我氏が「林臣」と書かれているのは、『日本書紀』全巻を通して、後にも先にも、「皇極紀」二年の記事と「天武紀」一三年（六八四）一一月の大三輪氏ほか五二氏の朝臣姓が与えられた記事のなかに「林臣」が入っているだけです。

　小学館版『日本書紀』の注釈は、「『姓氏録』左京皇別に林臣を、石川朝臣同祖、武内宿禰の後とする」と記しています。ここでようやく、冒頭で述べた「蘇我氏」＝「日十」・「早」・「日下」・「林臣」＝「石川臣」の関係と「山羊」・「鹿」の関係が明らかになりました。

「鹿」が害獣として忌み嫌われていたことは、「景行紀」のヤマトタケル東征の物語でも明らかです。ヤマトタケルが駿河の到着した時、その土地の豪族がヤマトタケルを騙して「この野には大鹿がたいへん多くいます。その吐く息は朝霧のようで、足は茂った林のようです」と言って誘いだします。

ヤマトタケルは伯母の倭姫《やまとひめ》から授かった草薙剣で野火を打ち払い、難を逃れます。また信濃の幾重にも連なる山の中に踏み込んだヤマトタケルが白い鹿を韮《にら》・ニンニク類の一つ蒜《ひる》で殺す話があります。ニンニク類は邪気を払う薬用に使われていました。

また「仁徳紀」六六年一〇月条に、仁徳天皇が白鳥陵の陵守を廃止するため現場に赴くと陵守目杵《めき》が白鹿になって逃げたので、天皇は「不吉な前兆」と見て、陵守を廃止するのを中止したとあります。

「仁徳紀」六七年一〇月一八日条には「初めて陵を築いた。この日、鹿が突然野原から飛び出して、役民の中に入って倒れて死んだ。その時、鹿が急死したのを怪しんで、その傷を探ると百舌鳥が耳から出てきて飛び去った。それで鹿の耳の中を見ると、すっかり食い裂かれていた。それでその場所を名付けて百舌鳥野耳原といった」とあります。

「明日香・飛鳥」の語源

残る問題は「入鹿」の「入」です。このことは後の述べることにします。今も、奈良県橿原市には「明日香」「飛鳥」の地名が残っています。『万葉集』に「アスカ」を歌った歌が数種あります。草壁皇子の妃、のちの元明天皇の「飛ぶ鳥の　明日香の里　置きていなば　君があたりは　見えずかもあらむ」（巻一の七八）や柿本人麻呂の長歌「飛ぶ鳥の　明日香の川の　上つ瀬に　生《お》ふる　玉藻《たまも》は　下つ瀬に……」（巻二の一九四）などがよく知られています。

「飛ぶ鳥」は「明日香」にかかる枕詞《まくらことば》です。石渡信一郎氏は、地名「アスカ」（飛鳥・明日香）の語源を解明しました。石渡氏による数々の発見のなかで、この発見は衝撃的と言えます。

氏は「アスカ」は「アスカラ」の「ラ」が脱落したものと考えました。つまり氏は「アスカラ」を「ア・ス・カラ」に分け、「大きな・東・加羅」と解釈します。「東加羅」の「スカラ」「ソカラ」は「ラ」が脱落して「ソカ」「スカ」「サカ」（日下・早・草・日十）など、地名・人名となっています。氏のもっとも大きな発見は、「ス」が「アズマ」（東）を意味する古代朝鮮語であることを解明したことです。

柿本人麻呂が高市皇子の殯《もがり》に作った歌「鶏が鳴く　東《あずま》の国の　御軍士《みいくさ》……」（『万葉集』巻二の一九九）にもあるように「鶏が鳴く」は「吾妻」「東」「東国」を意味する朝鮮語「サ」に由来する」というソウル大学教授朴時仁《パクシイン》の指摘から、石渡氏は「アスカラ」の「ス」は「東」を意味すると考えたのです。

そして「ア」は朝鮮語で「大」を意味する「ク」（크）ですが、日本語の「カ・キ・ク・ケ・コ」に変わりました。しかし、古代日本語では、カ行の子音kがよく脱落するので、カスカラの語頭のカとアを交替し、「アスカラ」→「アスカ」に転訛したのです。

日下→入日→入鹿

新旧二つの渡来集団の国家形成によって、日本の国は「南加羅《ナムカラ》」→「東加羅《ソカラ》」→「大加羅《アスカラ》」となったのです。朝鮮渡来集団による日本の領土は、中部・北陸・東北南部と拡大します。おそらく、蘇我入鹿は「アスカ大王」か「イスカ大王」を名乗った可能性があります。

　ちなみに坂口安吾も戦後間もなく『上宮聖徳法皇帝説』の「□□□天皇御世乙巳年六月十一日」や「近江天皇、林太郎□□ヲ殺シ」の欠字（□）に不審をいだいて、入鹿が大王でなかったかと詮索しています。『日本書紀』は乙巳《いっし》の変（六四五年）で継体王統の中大兄と旧加羅系の中臣鎌足が結託して蘇我王朝を打倒したことを隠しました。石渡信一郎氏は『ヤマトタケル伝説と日本古代国家』で次のように述べています。

> 『日本書紀』でヤマトタケルが死後に白鳥になって西方に飛び去った最大の理由は、陰陽五行思想に基づいて応神（武・昆支）系王統を五行の金と考え、その敗北を表わすためである。陰陽五行説では、「木・火・土・金・水」の金は、方位は西に当たる。金は十二支では申（猿）・酉（鳥）・戌（犬）であり、十二支の方位では西（鳥）である。能褒野《のぼの》で死んだヤマトタケルは、白い鳥になって西の方に飛ぶが、これは『日本書紀』が応神王統を五行の金、五色の白、五方の西、十二支の酉とみたからである。
>
> 　応神（武・昆支）の分身、ホムツワケが見たククイ（白鳥の古称）が大和から西方にあたる出雲まで飛んで行ったという『日本書紀』の話でも、白と鳥と西がセットになっている。また、応神（武・昆支）の霊で、応神の象徴であるオホクニヌシ（オオナムチ）を祭る出雲大社も、大和からみて西の方角に位置する。継体系の大王家（天皇家）は、応神王統を西に沈む太陽、建国神のオホクニヌシ（オオナムチ）を姿を消す日神としていると同

時に、白鳥神であるオホクニヌシを大和から西方に祭ることによって、応神系王統を「金の王統」としているのである。

私は『日本書紀』編纂グループが「入日」をイメージして「入鹿」の名を創ったと考えたりします。日は西方に沈むからです。『日本書紀』景行天皇四五年（一一五）是歳条によれば、夜警の火を炊《た》く老人が日本武尊《やまとたける》（『古事記』は倭建、以下ヤマトタケル）の歌「新治《にいばる》　筑波を過ぎて　幾夜か寝つる」に続けて歌った「かが並べて　夜には九夜　日には十日を」で、「日」を「カ」と詠んでいます。当時は、日没から一日が始まるので夜を先にいうのです。常陸の新治から碓日《うすひ》坂に至ったヤマトタケルは東南を望んで三度「吾妻はや」と言います。

石渡信一郎氏はこの「はや」は詠嘆の助詞ではなく、アズマ（東国）がアスカ（大東加羅）と同根であると指摘しています。つまり、倭国の別称アスカカヤがアズマハヤと訛っていたが、このアズマハヤの語源を隠すために、「記紀」はヤマトタケルが「あずまはや」と言ったという話を作ったと指摘しています。

「早・日十・日下」（クサカ・ソカ）から「ニホン・ニッポン」となったことは、「第四章　隅田八幡鏡」で述べました。「日本」はハングル（韓国語）で「イルボン」と発音します。「日」はハングルでは「ヘ・イル・ナル」と発音します。すると「日下」は「イルカ」とも、朴炳植氏が指摘したように「ヘッカ」とも呼ぶことができるはずです。『日本書紀』編纂グループは大王蘇我入鹿に王権を喪失したことを意味する「入日」をイメージしていたので、「入日《イリヒ》」の

「入」と忌み嫌った「鹿《カ》」を合成した「入鹿」という名を造ったのだと私は考えます（『応神＝ヤマトタケルは朝鮮人だった』一一七頁参照）。

石渡信一郎氏は「入鹿」は、『古事記』に出てくる「応神天皇が太子の時に見た鼻の傷ついた角鹿《つぬが》の浜のイルカ（入鹿魚）から考えついた名であろうと『ヤマトタケル伝説と日本古代国家』（三一書房、一九八八年）で指摘しています。

氏の考察ではイスカラ（大東加羅）＝イルカ（入鹿魚）になるからです。氏の説を敷衍《ふえん》すると、「大東加羅」（アスカ＝飛鳥・明日香）に君臨した大王の「日が昇る東」に対する見せしめとして、「日が沈む西＝入日」をシンボライズする「入鹿」の名は、『日本書紀』編纂グループにとってはピッタリだったからだと私は思います。

「差別名」とは関係のない余談になりますが、先日（二〇〇八年一一月二七日）の朝日新聞朝刊に大関昇進が決まったモンゴル出身で伊勢ヶ浜部屋（元横綱旭富士）の安馬のしこ名が「日《はる》馬富士《まふじ》」になったという記事がありました。

「日」を「カ・ヒ・ニチ・ジツ」と読む以外に知らなかった私は、さっそく手許の藤堂明保の『漢和大字典』を引くと「日」の名のりの項に、「あき・か・はる・ひる」とありました。「名のり」とは、人名として使われている漢字のことです。

ついでに「元旦」の「旦」と「旭国」の「旭」をみると、「旦」の意味は「あした。日の出。日にでるところ」とあり、その漢字の成り立ちは、「日＋一印（地平線）の会意文字で太陽が地上に現れることを示す」とあります。「旭」は「日＋音符九の会意兼形声文字。隠れている太陽が、ようやく輝き始める」とあるに至っては、私は漢字の凄さに思わず感嘆の声をあげざるをえませんでした。

ところで「日馬富士」の「はる」は「日」（カ・ニチ）の朝鮮語「ナル」の冒頭の子音が脱落した「アル・イル」が「ハル」に変化したのではと考えたりしました。朝日新聞は「日」は太陽を意味するというだけの説明でしたが、東京新聞は「日は日輪を意味し、また、日は人名に使う際、〝はる〟と読ませることがある」と説明していました。

「鞍作」という入鹿の別名

さて、入鹿には別名「蔵作《くらつくり》」という名があることが『日本書紀』「皇極紀」から知ることができました。入鹿暗殺の場で、中大兄（後の天智天皇）が母皇極から「なぜこのようなことをするのか」と問われて、「鞍作は天皇をことごとく滅ぼして、皇位を傾けようとしました。天孫を鞍作に代えられましょうか」と答えます。中大兄の「鞍作」と発する言葉には激しい憎悪が隠されています。

『日本書紀』はすぐそのあとに、文註として「蘇我入鹿はまたの名鞍作」と記しています。鞍作の名は、皇極天皇即位元年の記事にも出てきます。「蘇我蝦夷を大臣とすることは、前の通りである。大臣の子入鹿〔またの名は鞍作〕は、自ら国の政治を執り、その権勢は父に勝っていた。このため盗賊は怖《お》恐《じ》れて、道に落ちているものも拾わなかった」と書かれています。

また、入鹿の殺害現場を見た古人大兄が、私邸に走り返り「韓人《からひと》が鞍作臣を殺した〔韓人の政事《まつりごと》によって誅殺されたことをいう」。私は心が痛む」と言って、門を閉ざして出てこなかったと、皇極紀は記しています。

この古人大兄は馬子の娘法提郎女《ほてのいらつめ》と舒明天皇の間に生まれた子ですが、実は天智天皇の弟大海人皇子（天武天皇）と同一人物です。『日本書紀』では二人は舒明と皇極の子で、天智が兄で天武（大海人皇子）が弟になっていますが、事実は馬子の娘法提郎女を母とする天武は天智と腹違いの兄になるのです。

「鞍作」の方が入鹿の本当の「差別名」だったかもしれません。坂口安吾がタンテイした『上宮聖徳法皇帝説』の「□□□天皇御世乙巳年六月十一日」や「近江天皇、林太郎□□ヲ殺シ」の欠字を、現在のところ私は□□□は「大日下《あすか》、□□は「鞍作」としておきます。

しかし、「鞍作」については、知られていることを少し述べておいたほうがよいと思います。「鞍作」で有名な人物は飛鳥寺に丈六の大仏を納めた鞍作鳥（止利仏師）がいます。『日本書紀』推古天皇一四年（六〇六）五月条に次のような記事があります。

天皇は鞍作鳥に次のように言いました。「私は仏教の経典を広めようと思い、寺院を建てるに際し、まず、舎利を求めたが、その時、お前の祖父司馬達等《しばたっと》が舎利を献納した。また、国内の僧尼がいない時に、お前の父多須那が橘豊日（用明天皇）のために、出家して、諸々の尼の指導者として、仏教の修行をした。今、お前の功績は大きい」

仏教受容の貢献者善信尼

ここに登場する天皇は本当のところ推古天皇ではありません。大王馬子（用明天皇）のことです。推古は架空の天皇ですが、馬子（＝用明天皇）の分身です。大王馬子の話から鞍作鳥（止利）・司馬達等・多須那・島（善信尼）など鞍作の一族が蘇我王朝下で果たした仏教受容の功績がいかに大きいかを知ることができます。

とくに善信尼は、百済の鹿深臣《かふかのおみ》がもってきた弥勒《みろく》像と佐伯連の仏像をもらい受けた大臣馬子が僧侶にするために得度させた鞍部村主島達等《くらつくりすぐりたちと》の娘島であることが『日本書紀』の敏達天皇一三年（五八四）の記事からわかります。

馬子は弥勒像を安置するために、仏殿を家の東方に造営しました。おそらく仏殿は石舞台古墳のある島ノ庄の馬子の邸宅の近くにあったと考えられます。ところがその翌年、物部弓削守屋大連と中臣勝海らが敏達天皇の了解を得たうえで、馬子の寺や仏塔を焼いたばかりか善信尼ら三人の尼を召喚して海石榴市《つばきち》で鞭打ちの刑に処したのです。海石榴市は三輪山南山麓の奈良県桜井市金屋で、隅田八幡鏡銘文の「男弟王」がいた忍坂《おっさか》の近くです。

武烈天皇（在位四九八―五〇六）即位前紀によると、海石榴市は太子武烈から結婚の申し込みを受けた守屋の祖父物部麁火《もののべのあらかい》大連の娘影媛が太子との待ち合わせに指定した場所です。物部氏と継体系敏達天皇の嫡子彦人大兄の密接な関係をうかがうことができます。

物部守屋との内乱に勝利した馬子は、百済の使者恩率首信らに善信尼らを託して留学生として百済に派遣しました。物部弓削守屋が敏達天皇の太子彦人大兄の分身であることは前にも述べました。彦人大兄皇子が『日本書紀』に登場するのは、「息長真手王《おきながまてのおおきみ》の女菟道磯津甲貝《うぢのしつかい》皇女を生んだ」という敏達天皇四年七月条の記事です。

この時以外に彦人大兄は蘇我・物部戦争に登場しますが、その存在は不可解としか言いようがありません。彦人大兄は馬子が指揮する守屋討伐軍の皇子たちのメンバーに参加していないばかりか、『日本書紀』用明天皇四月の記事は、内乱勃発の際の押坂彦人大兄皇子が守屋側にいたことをはっきり示しています。

病に罹った用明天皇は「仏に帰依しようと思う」と群臣に相談したことに対して、守屋と中臣勝海は「国神に背いて、他神を敬うことはできない」と反対します。大臣馬子は天皇の意見に賛成しますが、怒って席を立った守屋は別邸の阿都に引き上げて戦の準備をします。その時の様子を『日本書紀』は次のように描写しています。

> 中臣勝海連は家に軍衆を終結させ、大連に付いてこれを助けた。そうして太子彦人大兄の像と竹田皇子の像とを作って呪詛した。しばらくして事が成功しないことを知って、水派宮《みまたみや》にいる彦人大兄に帰順した。（馬子の）舎人迹見赤檮《とみのいちい》は、勝海連が彦人皇子の許から退出するのをうかがって、刀を抜いて殺した

この引用文は『日本書紀』編纂者の作為によってわかりにくくなっていますが、押坂彦人大兄が守屋・勝海側にいたことを物語っています。文中の「水派宮」の所在地は奈良県北葛城郡

河合町河合あたりと推定されています。また、彦人大兄の墓は北葛城郡広陵町にある牧野古墳とされています。

この記事に続いて、守屋大連は阿都の家から「私を陥れるための策謀をしていると聞いた。それ故、私は退席したのだ」と馬子大臣に言い訳したと『日本書紀』に書かれています。しかし、不思議なことにこの記事を最後に彦人大兄はいっさい姿を消します。さらに『日本書紀』の記事は次のように続きます。

天皇（用明）の痘瘡《とうそう》はいよいよ重くなって、臨終という時に、鞍作多須奈（司馬達等の子である）が進み出て「私は天皇のために、出家して仏道を納め、また丈六の仏像と寺をお造りします」と言った。

この鞍作多須那の言葉は、物部守屋と渋河の激戦で厩戸皇子（聖徳太子）と馬子が「この戦に勝たしていただくなら、寺塔を建てましょう」と誓願したことに似ています。厩戸皇子と馬子の誓願のすぐあとに、物部守屋大連は射殺されます。

蘇我馬子は敏達天皇の後継者彦人大兄と「仏教受容」という国家の根幹にかかわる問題で争い、蘇我王朝の覇権を確立したのですが、鞍作多須奈の言葉からわかるように、馬子が物部との戦で鞍作集団の協力を得ていたことは明らかです。おそらく、父欽明の仏教受容のころから仏教に深い関心をもっていた馬子は造仏や造寺のことで鞍作集団と関わりあったのでしょう。

善信尼は崇峻天皇三年（五九〇）の三月に百済から帰国して桜井寺（豊浦寺）に住み、その翌々年の五九二年の一〇月に法興寺（飛鳥寺）の仏堂と歩廊ができました。そして五九六年には法興寺が完成して、馬子の嫡子善徳（蝦夷のこと）が寺司《てらつかさ》に就任します。寺司は役人ですが、寺の長官という最も高い位です。

また、桜井寺と法興寺（飛鳥寺）の関係は、後の国分寺（男子の寺）と法華滅罪の寺（国分尼寺＝女子の寺）の関係に似た初期の形態と考えられます。当時、女性が出家することは画期的なことだったのです。物部守屋大連と中臣勝海らが、入信した善信尼ら三人の尼を拘束して海石榴市《つばきち》で鞭打ちの刑に処したことからも明らかです。

馬具の製作から造仏へ

国家の寺院を建立することは、大王でなければできません。飛鳥寺の建立は馬子が大臣でなく大王であることを示す重要な証拠です。しかし大王馬子に仕えた善信尼や鞍作鳥など、大王馬子の仏教受容に大きく貢献した一族の呼称「鞍作」が、なぜ入鹿の別名となったのでしょうか。

そもそも鞍作部＝鞍作という呼称は、雄略天皇七年（四六三）条に天皇が東漢直掬《やまとのあやのあたいつか》に命じて、上桃原・下桃原・真神原の三ヵ所に移住させたと記されている各品部《しなべ》集団のなかの「鞍作部堅貴《けんき》」に起因しています。

桃原は石舞台古墳の周辺で、真神原は飛鳥寺の周辺です。職業集団を品部といいますが、「鞍作」は馬具を製作する職業集団です。「雄略紀」には赤毛の馬が誉田陵（伝応神陵）の埴輪の馬に変わった飛鳥戸郡の田辺史伯孫《たなべのふひとはくそん》の話や天皇が誤って死刑にしようとした工匠を赦免しようとして走らせた甲斐の黒駒の歌など、馬にまつわる逸話が少なからずあります。

おそらく四六一年（雄略五）の昆支の渡来以降、百済からこれら数々の職業集団や馬などが倭国に入って来たのでしょう。上田正昭は「馬具製作の技術が、造仏に活用され、馬具の製作よりも造仏の方が重視されようになった」と指摘していますが、蘇我王朝のもとで軍事氏族であった東漢氏（坂上氏）が代々馬との深い関係があったことからも、鞍作一族と東漢氏の関係は否定できません。

『日本書紀』「崇峻紀」は、「蘇我大臣の妻は物部弓削守屋の妹である。大臣は軽々しく妻の計略を用いて、大連を殺したのだ」という噂や、「馬子は乱を平定した後、摂津国に四天王寺を造り、大連の奴《やっこ》の半分と邸宅を分けて大寺の奴・田荘《たどころ》にした」という話を載せています。

物部氏の本拠地河内国渋川

五八七年の蘇我・物部の激戦の地となった渋川は、通説では河内国渋川郡に属していた鞍作村だったと言われています。渋川郡は古代軍事氏族の物部氏が支配していた領地でした。鞍作村は加美鞍作という地名が残っている現在の大阪市平野区加美一帯とされています。

JR関西本線が奈良方面から法隆寺・王子を経て大和川渓谷に沿って、生駒・金剛山地を通りぬけて柏原・八尾・加美の各駅に停車して四天王寺のある天王寺駅に着きます。その途中の加美駅の一帯がかつての鞍作村になるわけです。

石渡氏は『日本書紀』が大王馬子を「大臣馬子」としたために、大王馬子が押坂彦人大兄の妹菟道《うじ》を大后としたことを隠し、菟道を「大連物部守屋の妹太姫」としたとしています。

馬子との内乱で敗れ、殺害された物部弓削守屋は敏達天皇の後継者彦人大兄の分身だとすると、押坂彦人大兄はなぜ物部氏の本拠地渋川（鞍作村）を戦場に選んだのでしょうか。大臣と大連を継体天皇まで遡ると、継体→大連――物部麁火・大伴金村、安閑→大連――物部麁火・大伴金村、宣化→大連――物部麁火・大伴金村、大臣――蘇我蝦夷、欽明→大連――物部尾輿・大伴金村、大臣――蘇我稲目、敏達→大連――物部守屋、大臣――蘇我馬子という具合になります。

継体天皇以降、旧加羅系豪族の物部氏は、麁火・尾輿・守屋の三代にわたり大連を独占してきました。敏達天皇の世になって押坂彦人＝物部守屋と馬子の対立は激化します。実は、敏達と馬子は欽明天皇の腹違いの子です。太子彦人大兄にとって馬子は叔父にあたります。

この二人の関係を念頭に置かなければ、蘇我・物部の内乱を理解することはできません。敏達天皇ら継体王家と旧加羅系豪族の物部氏・大伴氏の密接な関係は明らかです。しかし、蘇我・物部戦争によって、昆支（応神）系統直系の馬子（用明）と物部氏が支える彦人大兄の力関係は完全に逆転したのです。

仏教受容に協力した鞍作集団

蘇我・物部戦争までは、大臣馬子が入信させた善信尼を物部弓削守屋大連が海石榴市で鞭打ちの刑などにしています。もちろん物部弓削守屋が太子彦人大兄の分身であればこそできる行為です。一介の大連に善信尼を拘束する力などあるはずがありません。物部氏と中臣氏による仏教弾圧の話は、欽明天皇の蘇我稲目大臣の時もありました。

この時は、大連物部尾輿と中臣連鎌子によるものです。二人は稲目が小墾田《おわりだ》の家に安置していた仏像を難波の堀江に投げ捨て、寺に火をつけ全焼させました。おそらくこの頃から鞍作一族は蘇我氏と関係があったでしょう。

彦人大兄を支える物部氏の本拠は蘇我・物部戦争後、馬子によって没収されました。馬子の登場によってそれまで物部氏の管理下にあった渋川周辺の鞍作集団は、堂々と新支配者の仏教政策に従事することができるようになったのでしょう。

しかし六四五年のクーデタ乙巳《いっし》の変は、馬子によって殺害された彦人大兄を祖父にもつ継体系中大兄（天智天皇）と旧加羅系の中臣鎌足と蘇我王朝からはずされた倉山田石川麻呂臣の三者連合に寄って行われました。ついに蘇我王朝（馬子・蝦夷・入鹿）は滅亡しました。「大臣は妻の計略を用いて大連物部弓削守屋を殺したのだ」という噂はむげに否定すべきではないでしょう。大王馬子の長子蝦夷（善徳）が、鞍作集団を出自とする女性と姻戚関係を結び、入鹿が生まれた可能性もあるからです。大王入鹿は祖父馬子・父蝦夷が築いた鞍作集団との主従関係を受け継ぎ、仏教政策はもちろん外交・内政に絶大な権力を振るい、乙巳のクーデタに至ったと考えられます。

仏教受容が原因で起きた「馬子×守屋（彦人大兄）戦争」で祖父押坂彦人大兄が殺害され、

それがもとで皇位継承の権利を喪失した中大兄（天智）にとって、仏教受容に大きく貢献した鞍作集団は、裏切り者であり、国家反逆者になるのです。

　入鹿が大王として君臨し、鞍作集団が仏教受容に貢献すればするほど、クーデタ成功者にとって「入鹿＝鞍作」は蔑称にあたいする集団であり、国家に反逆した者を象徴するもっとも適切な呼称であったかもしれません。新旧二つの渡来集団にとってエミシ（蝦夷）が国家最大の敵であったように、大王蘇我入鹿の力に従属した鞍作集団は、天智・天武の継体系王朝にとってもっとも蔑称すべき対象であったのです。

第二章　天皇象徴の日本と〈私〉——1940—2009

◆はじめに

世界内存在

フロイト『モーセと一神教』

精神分析の創始者として、また神経症の研究を通して世界的に知られているユダヤ人ジークムント・フロイトも、最晩年に書いた孤高ともいえる『モーセと一神教』はあまり知られていません。というのはこの本の内容は歴史でもなく精神分析を対象としたものでもないために、それぞれ専門分野の研究者の埒外におかれたからです。いわゆる「フロイトを語る人はモーセに言及せず、モーセを語る人はフロイトを一顧だにしない」という状態が長く続いたからです。

私が『モーセと一神教』を知ったのは人文書院から一九八四年に出版された『フロイト著作集』の第一一巻『文学・思想編Ⅱ』の森川俊夫訳「人間モーセと一神教」を読んだ時でしたか

ら、今から二五年前になります。人文書院の『フロイト著作集』に収録された『人間モーセと一神教』は、一九八八年渡辺哲夫氏の訳で日本エディタースクール出版部から出され、同じ本が二〇〇三年ちくま書房から学芸文庫として出版されてからその内容は広く知られるようになりました。

フロイトには人間の深層心理と夢の関係を分析した『夢判断』という本があります。しかしこれから述べることは『夢判断』のことではありません。『モーセと一神教』を理解するための前提となる夢にまつわる『旧約聖書』の話です。両親をユダヤ人にもつフロイトはユダヤ教（『旧約聖書』）とはけっして無縁ではありませんでした。『旧約聖書』には「創世記」に始まり「出エジプト記」「レビ記」「民数記」「申命記」で終わる「モーセ五書」と呼ばれる物語が収録されています。私がまずお話しておきたいのは、「創世記」三五章二二節の「ヤコブの息子は一二人であった」という、一一番目の子ヨセフのことです。

ヨセフと一一人の兄弟

ヨセフは兄たちの悪巧みによって、エジプトに売られてしまいました。ヨセフを買ったのはエジプト人でファラオ（エジプト王）のポティファルという宮廷侍従長でした。ヨセフは夢を解く才能にとてもすぐれていました。その才能はやがてファラオの耳に届き、ヨセフはファラオの夢を次々に解きました。ヨセフはファラオが見た「実の入っている穂が、よく実った七つの穂をのみ込んでしまった」という夢を解いて、七年の大豊作のあとに、エジプトを滅ぼす七年の大飢饉が始まると答え、ファラオに大飢饉に備えるように進言しました。

ファラオは「このように神の霊が宿っている人はほかにあるだろうか。お前を宮廷の責任者とする。わが国民は皆、お前の命に従うだろう。ただ上位にあるということだけで、私はお前の上に立つ」と、印章のついた指輪を自分の指からはずしてヨセフの指にはめ、ヨセフを王の第二の車に乗せました。ヨセフが予言した通り、七年の大豊作の後、エジプト全土と周辺諸国に七年の大飢饉が襲いました。ヨセフの一〇人の兄たちも、食糧を求めてカナンの地からエジプトにやってきました。

そこでヨセフの知るところとなり、一〇人の兄たちとカナンの地に残された父ヤコブと末子のベンヤミンもエジプトに移住することになりました。カナンは地中海とヨルダン川・死海にはさまれた地域一帯の名です。『旧約聖書』では「乳と蜜の流れる場所」と語られ、神がアブラハムの子孫に与えると約束した土地であることから「約束の地」とも呼ばれます。「約束の地」は今のイスラエルとパレスチナを中心とした地域です。

エジプト脱出

「創世記」四六章二二節に「ヤコブの腰から出た者で、ヤコブと共にエジプトに行った者は、ヤコブの息子の妻たちをのぞけば、総数六六名である。従って、エジプトへ行ったヤコブの家族は総数七〇名であった」と記されています。イスラエルの人々が、エジプトに奴隷として住んでいた期間は四三〇年でした。四三〇年経ったちょうどその日、イスラエルの人々はモーセに引き連れられてエジプトの国を出発したのです。

「出エジプト記」一二章三七節には「イスラエルの人々はラメセスからスコトに向けて出発した。一行は、妻子を別にして、壮年男子だけでおよそ六〇人であった」と記されています。ヤコブを父とする一二人の兄弟がエジプトに移住してから四三〇年経っていました。モーセがイスラエル人を連れてエジプトを脱出したのは紀元前一二三〇年とされていますから、ヤコブと一二人の兄弟がカナンからエジプトに移住したのは紀元前一六六〇年ごろになるわけです。

ヒトラーのオーストリア侵略

「まえがき」が長くなりました。さて、フロイトは一九三七年、雑誌『イマーゴ』に「モーセ、エジプト人」という論文を発表しました。その内容はモーセがエジプト人でアーメンホテプ四世の高官ではないかという想定のもとづくものでした。この論文の発表がいかに危険であるかフロイトは十分知っていました。何故かと言いますと、『旧約聖書』ではモーセはイスラエルの預言者であり、ユダヤ人の父であり、建国の主であるからです。

　フロイトの両親はユダヤ人ですがユダヤ教会に通わないユダヤ人でした。当時、そのようなユダヤ人が多くいました。現在のチェコスロヴァキアに属しているライズベルグ村で、フロイトは父ヤコブの半分も歳の少ない二度目の妻アマーリアの長子として生まれています。ですからフロイトには父ヤコブと先妻の間に生まれた腹違いの兄弟二人、自分の下に五人の妹、一人の弟をもっています。家族はフロイトが三歳のときの一八五九年にウィーンに転居しました。

フロイトがヒトラーのオーストリア侵略によってイギリスに亡命したのは一九三八年です。フロイトは八〇年間ウィーンで生活し、精神分析におけるその業績のすべてはウィーン時代に達成されたものです。言うなればフロイトはカトリック国家オーストリアの保護下にあったことになります。そのフロイトが「モーセはエジプト人だった」と言うのですからカトリック教会からの圧力と弾圧は当然考えられました。

論文を発表する一年前にフロイトは、ニーチェやリルケの愛人であったルウ・サロメに、オーストリアのカトリック教会当局からの精神分析に対する禁止という危険を冒さないでは発表できないし、また逆にこのカトリック体制のみがフロイトたちをナチズムから守ってくれると書き送っています。

さらにフロイトはサロメに「モーセ物語の歴史的根拠は確実ではないので、私は沈黙を守ります。私自身は問題の解決を信じられるというだけで十分です。このことは生涯を通じて私を追いまわしてきました」と伝えている。

> もはや失うものがなにもない。あるいはほとんど失うものがない者に固有の大胆さをもって、私は十分に納得した上での決意をもう二度目ではあるが翻し、「イマーゴ」（第二三巻、一号と三号）に掲載したモーセに関する二つの論文に、これまで差し控えていた結末部を付け加えることにする。この仕事を成し遂げるためには私の諸々の力はもうないであろうと自覚している旨を私はすでに明瞭に述べたし、高齢ゆえの創造力の減衰という

事態ももちろん考えたのであるが、しかし、なお別の障害を念頭においていた。

引用最後の「別の障害」というのは、いままでカトリック教会の保護をうけてナチズムからの弾圧を免れてきたが、この論文に新たな結末部を付け加えることによって生ずるカトリック教会からの圧力のことです。フロイトは続いて次のように語っています。

「実に奇妙な現実だが、ほかならぬカトリック教会制度が上述したように文化の危険性の拡大に力強い防衛力をもって対抗している状況になっている。これまでは、このカトリック教会制度こそが、考えることの自由および真理認識への進歩にとって宿敵であっただけに！」

心的外傷→防衛→潜伏→神経症の発症

フロイトがいう新たに付け加える「結末部」とはいかなる内容でしょうか。その「結末部」というのは、フロイトがユダヤ教の一神教を神経症発症に類似する事例として分析したことです。どういうことかと言いますと、かつて経験され、のちに忘却された印象、すなわち神経症の病因論に非常に大きな意味をもつ印象をフロイトは心的外傷と名づけています。それは論理的思考を圧倒し、心に迫りくる強迫という名の特徴を持ちます。心的外傷のすべては五歳までの早期幼年時代に体験されます。その体験は通常完全に忘れ去られているのですが、要するに心的外傷→防衛→潜伏→神経症発症の経過をたどるというのです。

人類の生活においてもこのような個人の生活における事態と似たことが起こっているとフロ

イトは考えたのです。人類の生活でも性的・攻撃的な内容の出来事がまず起こり、それは永続的な結果を残すことになったが、とりあえず防衛され忘却され、長い潜伏期間を通してのち、発生すなわち出現するというのです。フロイトはこの想定にもとづき、神経症状に似た結果こそ宗教という現象に他ならないと考えました。

このフロイトの説は、日本古代は新旧二つの加羅系と百済系の渡来集団によって建国されたとする石渡信一郎氏の研究と私自身体験した神経症をもとに考えるとよく理解できることがわかったのです。

逆にフロイトの「歴史の二重性」から日本古代国家の形成を考えると石渡信一郎氏の新旧二つの渡来集団による建国の史実が鮮明にイメージできるのです。私は『ヒロシマ』のあとに書いた『アマテラス誕生』でフロイトの「歴史の二重性」からアマテラス神話の秘密を解明しよう試みました。

日本古代国家形成の史実

国家の形成は個人の形成に類似しているとフロイトは言っています。本書は、フロイトの説を私の神経症と石渡信一郎氏の日本古代国家の形成の史実がいかにどのように結びついて、いま現在の見方考え方から「世界内存在」に至っているかについて書いたものです。石渡氏はいみじくも「古代天皇制が、現在の象徴天皇制と深いかかわりがあり、象徴天皇制の存否が、将来日本の大きな政治問題になるだろう」と指摘しています。

石渡信一郎氏の「新旧二つの渡来集団による建国の史実」を想定に入れるならば、これまで行われてきた天皇の「親政」「不親政」「権力」「無権力」など「象徴天皇制」および「天皇制」に関する論議の九割以上は、根底から再検討する必要があるのではないでしょうか。

赤坂憲雄氏は『象徴天皇という物語』（ちくま学芸文庫、二〇〇七）で、縷々《るる》天皇制論議の間違いと不毛性を指摘しています。しかし、皮肉にもその孤軍奮闘の論述は赤坂憲雄氏自身が皇国史観から逃れきれていない状況ともどかしさを物語っています。

百済から渡来した王子昆支が弟余紀《よき》とともに広大な河内湖を開拓したのち、「昆支＝倭王武＝日十《そか》大王」として日本最大の古墳誉田《こんだ》陵（伝応神陵）に埋葬され、「余紀＝男弟王＝継体天皇」は大山古墳（伝仁徳陵）に埋葬されたという話のほうがはるかに史実に近いのです。

全国で一位、二位を争う巨大古墳に埋葬されている二人の天皇＝大王がどうして権力をもっていなかったなどといえるでしょうか。稲荷山鉄剣銘文の獲加多支鹵《わかたけろ》大王＝欽明天皇＝天国排《あまくにおし》開広庭《はらきひろにわ》がその名が示すように、どれほど絶大な力を持っていたか、すこし想像力とを働かせればわかることです。「記紀」にもとづく日本古代史の通説が間違っているのです。石渡氏は『応神陵の被葬者だれか』とその後の一連の著作で、通説の誤りを検証しました。

なお、今年（二〇〇九）、私は『応神＝ヤマトタケルは朝鮮人だった』（河出書房新社）と『隅田八幡鏡』（彩流社）、石渡信一郎氏は『聖徳太子はいなかった』（河出文庫）を出版しましたので参考にしていただければ幸いです。

「天壌無窮」の皇国神話

初期律令国家体制（天武→持統→藤原不比等）は、「記紀」によってアマテラスや聖徳太子を天皇家の皇祖神や仏法のシンボルとして創出しました。その理由は乙巳《いっし》のクーデタ（六四五年）以前の皇位継承をめぐる天皇家の激しい対立と天皇家の出自にあります。そのことについては、第二章の「百済から渡来した応神＝ヤマトタケル」をご覧ください。

乙巳の変＝大化の改新がいかに熾烈なクーデタであったかは、蘇我馬子の墓（石舞台古墳）が暴かれ、その姿が今でも私たちの目の前に晒されていることからも明らかです。初期律令国家体制が創った国家形成の神話は、明治二二年（一八八九）の大日本帝国憲法の告文「天壌無窮」「神ノ宝祚ヲ承継」と第一条「大日本帝国ハ万世一系ノ天皇之ヲ継承ス」に引き継がれています。

明治天皇自ら国民道徳の形成を呼びかけるという特異な形式をとった「教育勅語」は明治憲法が公布された翌年に発表されていますが、初期律令国家によって創られた聖徳太子の「十七条憲法」に酷似しています。

『日本書紀』によると、アマテラスは皇孫のホノニニギに玉と鏡と剣の「三種の神器」を与えて「葦原千五百秋瑞穂国は、是、吾が子孫の王たるべき地なり。爾皇孫《なんじすめみあゆ》就きて治せ。行矣《さきくませ》。宝祚《あまつひつぎ》の隆えまさむこと、当に天壌《あめつち》と無窮《きわまりな》けん」と伝えました。「葦原の瑞穂国は我が子孫が君主たるべき地である。汝皇孫よ、行って治めなさい。さあ、行きなさい。宝祚の栄えることは、天地とともに窮まることないだろう」という意味です。明治帝国憲法は一一七〇年前に編纂された『日本書紀』の皇国の神話を丸写ししました。

シンボルを手にしたマッカーサー

原爆ヒロシマ・ナガサキの後、連合国最高司令官マッカーサーは日本国憲法の作成に着手しました。その第一条は「天皇は、日本国の象徴であり日本国統合であって、この地位は主権の存する日本国民の総意にもとづく」となっています。前文では「主権が国民にあり、その国民の一人一人が選挙した代表者を通して憲法を確定する」と唱えているのですから、前文と第一条の矛盾は明らかです。

しかし、日本は無条件降伏によって、つまり、戦争に負けることによって平和憲法を手に入れたのです。いったい日本のおよび日本人は何のために、誰の名のもとに戦争をし、なぜ壊滅的な敗北に至ったのでしょうか。その誰かが仮に天皇であるとするならば、その天皇を日本および日本人の象徴とするということは、どういうことになるのかもう一度考えるべきではないでしょうか。

絶対的な勝利者マッカーサーの意図は明らかです。軍人マッカーサーにとって必要なのはもはや戦争ではなく平和です。マッカーサーにとって戦争は終わったのです。マッカーサーに必要なのは永続的な支配のためのシンボルなのです。戦争に勝利したマッカーサーは、「象徴」という名の天皇の帽子を手に入れたのです。その日は一九四五年九月二七日、天皇裕仁がマッカーサーの宿舎アメリカ大使館を訪問した時でした。

マッカーサーによる日本国憲法の作成過程は第二章「連合国最高司令官ダグラス・マッカーサーと昭和天皇」をご覧ください。ついでに本書の各構成についてお伝えしておきます。

本書の構成

第一章の「存在の故郷」では筆者が体験した「神経症」の発症と治癒の具大的な事例が、フロイトの言う神経症の病因論、すなわち心的外傷→防衛→潜伏→神経症発症とどのように結びついているか、私の幼年時代から青年時代前期までの記憶を通して検証し、私が「世界内存在」を認識するに至った思想・文学・哲学の志向を語ります。

第二章の「象徴天皇と日本および日本人」では、マッカーサー主導による日本国憲法の成立過程を語り、津田左右吉の「万世一系天皇」の皇国史観がいかに無傷《むきず》で戦後マッカーサー体制に引き継がれたかを検証します。

そして津田左右吉の説が、一九〇〇年に公表された「日本古代国家は新旧二つの朝鮮半島からの渡来集団によって建国された」とする石渡説といかに乖離し、転倒しているかを念頭に語ります。この「記紀」にもとづく根強い日本および日本人の歴史観＝皇国史観はベルリンの壁が崩壊（一九八九年）して二〇年経つというのに、いまだに「鉄のカーテン」のように重く垂れさがっています。

とは言いながら、今も昔もそうですが、日本は日本だけであるのではありません。皇国史観という「鉄のカーテン」が取り払われようとしているのが、二〇〇九年の日本です。グローバリズムのなかで先進国・発展途上国にかかわらず国家および国家同士に民族・言語・宗教・文化の軋轢が多発しています。

矛盾するもの、整合性のないもの、おかしいもの、隠されたもの、支配するもの、隷属するもの、対立するもの、ジョージ・オーエルが言う「二＋二＝四」でないもの、古いもの新しいものが、すべて現れないものはありません。しかもそれが世界同時です。もっとも特徴的なのは、二〇〇九年八月三〇日に日本で起きた自民党から民主党への政権交代です。国民一人一人の投票による歴史的な政権交代を中心テーマにしながら、第三章では「二〇〇九年」の前半の政治と〈私〉を日記風に語ります。

以上、「天皇を象徴とする日本および日本人と戦後の私」をテーマとする本書ですが、その探索と説明がどれだけ成功したかは、読者の皆さんにおまかせするほかありません。私としては、皆さんの自由な想像力をいくらかでも刺激することができればと願うのみです。

二〇〇九年九月末日

著者

◆おわりに

都議会選挙顛末記

戦争世代の人たち

今日は二〇〇九年七月二一日、日曜日です。私は九一歳になる母を車椅子にのせて朝七時半に都議会選挙の投票に出かけました。母とはいっても実母ではなく妻の母親です。昨年までは教会の礼拝を兼ねて必ず選挙に行っていたのですが、暮れごろから足が弱り外を歩くことが困難になりました。

このところ、たまに「ボケをこく」ことがありますが、それも朝起きたときぐらいです。私は丁寧に聞いてあげるよう心がけていますが、妻は叱責します。すると私の顔を見て母は何とも言えないような笑いを浮かべて黙ってしまいます。「かわいいね」と私が言うと、妻は「ちっとも、可愛くなんかない」と言い返します。妻の母は大正七年東京麹町の生まれです。

大正七年というと、西暦では一九一八年です。私がよく知っている人で、その前後に生まれた人を上げると、長兄英一が大正五年、次男雄二が大正七年、三男雄三が大正九年、四男憲四郎が大正一一年、長男英一の妻出子は大正九年、三一書房の創業者竹村一さんと作家の五味川純平さんが大正六年、写真家の福島菊次郎さんは大正一〇年です。そう言えば私と妻節子を仲人してくれました早大露文科の金本源之助先生も大正一〇年です。

この人たちで健在なのが、三男の雄三氏と出子さん（お姉さん）、福島菊次郎さんと金本源之助先生です。言うなればこの人たちは満州事変から太平洋戦争にかけての戦争世代です。福島さんを例にあげると満州事変のときは一〇歳、太平洋戦争が始まったときはちょうど二〇歳です。金本先生は早大ロシア語科の院生であったこともあり、ソ満国境に召集されました。金本先生は瀬戸内海の生口《いくち》島の生まれです。同年代の仲間の半分は生きて帰れなかったそうです。先生は今年の九月、『アファナーシェフ民話集』全三巻を出版しました。

新聞報道

投票場はまだまばらでした。実は投票日の朝まで練馬区の候補者の名前がよくわからないのです。前日の夕刻、民主党衆議院議員の秘書のTさんにケイタイで「誰に入れたらいいの」と聞いたら、「三人いるので私もわからない。後で電話をいれます」と言うので待っていたのですが、今日の朝六時の留守電に「〇〇〇さんがよいのではないでしょうか、よろしくお願いします」というメッセージが入っていました。「〇〇〇さんがいいらしいよ」と私。「私は自分で決めます」と妻。

こんな具合で母にも余計なことは一切言わず、それぞれ投票を済ませ、有楽町線新桜台駅近くのコンビニで妻は母の欲しい物を取って上げ、代金は自分で払わせていました。その間私は、東京、毎日、サンケイの各新聞を買って、妻は教会へ、私は車椅子を押してわが家に帰りました。

新聞のテレビ番組はフジテレビが七時半から「麻生政権の命運握る一週間始まる」、TBSが八時から「麻生おろし加速」、テレビ朝日が一〇時から「サンディプロジェクト　六党激突！麻生腹心菅氏に宣戦布告」と良くも悪くも麻生首相が主役です。

朝日新聞は「首相、解散不退転の決意」が一面のトップ記事です。選挙当日のスクープらしいこの記事が何を意味するのか不可解ですが、その内容は「麻生首相は一一日の東京都議選で与党が負けても続投し、自ら衆院を解散する決意を自民党議員に伝えた」という内容です。

信頼できる筋の情報と思われるだけに不信感が拭いきれません。この不信感は朝日新聞が昨年九月一八日の朝刊で報道した「来月二六日総選挙、三日解散、自公合意」というスクープに端を発し、そのまま現在まで引きずっているからです。朝日新聞はよくこの手の報道をします。次の例は、政治・経済・社会のニュースではなく、つい二ヵ月前の古代史・考古学に関係する記事です。

「やっぱり卑弥呼の墓？」

二〇〇九年五月二九日（金曜日）朝日新聞一面の上から五段目から八段目にかけて箸墓《はしはか》古墳のカラー写真入りの記事が出ました。「やっぱり卑弥呼の墓？」「奈良県箸墓古墳　放射性炭素年代測定」「死亡と築造の時期一致」といわる卑弥呼＝箸墓古墳＝邪馬台国大和説を思わせる記事です。
「古墳時代の始まりとされる箸墓古墳（奈良県桜井市）が築造されたのは、二四〇年から二六〇年という研究を国立歴史博物館（以下歴博、千葉県佐倉市）がまとめた」というのです。放射性炭素年代測定によると箸墓古墳の築造年代と二五四年ごろの女王卑弥呼の死亡時期と重なるというわけです。すると奈良県桜井の箸墓古墳には邪馬台国の卑弥呼が埋葬されていることになります。

考古学上のスクープであれば、同時に社会面か文化欄に解説記事が出るのが普通ですが、今回はどこにも見当たりせん。問題は「放射線炭素年代測定」がどのようなものか。この記事を読んだ人の九五％以上は理解できないだろうということです。記事は「宮内庁指定の陵墓で本体は調査できない。周囲で出土した土器などを手がかりに、三世紀後半とみる研究者が増え、卑弥呼との関連が注目されるようになった」と断定的な書き方をしています。これでは読者を無視した無責任な丸投げ記事です。

というのは「放射性炭素年代測定による研究結果は、三一日にハワイで始まる放射性炭素国際会議と、同日早稲田大学で行われる日本考古学協会の研究発表会で報告される」という記事から、歴博の情報であることがわかります。せっかくの署名記事ですから記者の名前をあげておきます。また、そのためわざわざヘリコプターまで使って撮った写真ですから撮影者の名前もあげておきます。記事は「渡辺延志」、撮影者は「寺脇毅」です。

「波紋を呼ぶ歴博発表」

その後、朝日新聞はこの記事に関する追跡記事を掲載しなかったと思うのですが、私が見逃したのでしょうか。もし私が見逃して言っているのであれば、この件について私は謝ります。この記事が朝日のスクープであることはＮＨＫが夜の七時のニュースで報道したのと、読売、東京、日経各紙の夕刊に掲載されたことからも明らかです。毎日はこの報道に加わっていません。ところが二〇〇九年六月八日毎日新聞夕刊は「波紋を呼ぶ歴博発表」「懸念される数値の独り歩き」という見出しで次のように報道しました。

「国立歴史民俗博物館の研究グループが日本考古学協会の研究発表会で行った報告が波紋を呼んでいる。この通りなら江戸時代から論争が続く日本古代史上最大の謎、邪馬台国所在地論争は畿内大和説で決着するのだが、……【伊藤和使】」と報道しています。毎日新聞の記事は、「炭素年代と実年代」のグラフやその説明を含めて約三〇〇〇字の詳細のものです。記事の最後は次のように締めくくっています。

> 発表会の司会者、日本考古学協会理事の北条芳隆東海大学教授は「会食の雰囲気でお察しいただきたいが、（歴博の発表が）考古学協会で共通認識になっているのではありません」と、報道関係者に異例の呼びかけを行った。「箸墓＝卑弥呼墓」説が独り歩きしかねないのを危ぶんだのである。

ジャーナリズムの原点から逸脱

毎日新聞の姿勢は賢明であるにしても、相も変わらず邪馬台国論争が延々と続くのは、日本国家の成立の研究がいまだに皇国史観が壁になっているのが最大の理由ですが、天皇家の出自と万世一系天皇神話との関係が解明されないまま、あるいは解明しようとしないまま現在の象徴天皇制に至っていることです。しかもジャーナリズムがこの問題の本質を明らかにするのではなく、むしろ無責任な丸投げ報道を繰り返していることです。

毎日新聞夕刊記事の二ヵ月後の『文藝春秋』八月号の座談会（上田正昭×大塚初重×高島忠平）「卑弥呼の墓はどこだ」で、冒頭、大塚初重氏が「五月二九日の朝日新聞の記事を見て魂《たま》消《げ》ました。邪馬台国が畿内か九州かという論争がついに決着したのか、と思った方もいるでしょう」と言っていることからも、私が朝日の記事について話していることが、けっして大袈裟なものでないことが分かっていただけると思います。しかし文藝春秋の三人の座談会も通説の繰り返しに終始しているので褒められたものではありません。ちなみに高島忠平氏は邪馬台国九州説論者であることをお断りしておきます。

五月二九日のスクープ記事から二ヵ月過ぎた八月六日の朝日新聞夕刊は、「精度高まる『歴史の物差し』」「考古学からの異論」などの見出しで、図表、写真をふくめて約二六〇〇字前後の解説記事を発表しました。

「精度高まる……」からもわかるように、相も変わらず歴博の代弁に終始しているに過ぎません。この解説にいたっては、発表のタイミングやその内容の正確さにおいて間違っているばかりでなく、一般市民や大衆がいったい何を知りたがっているかというジャーナリズムの原点から逸脱した「恥の上塗り」と、私は思います。

問題だらけの「炭素年代測定法」

実は「放射性炭素年代測定」については、私のとっておきの話があります。ちょうど今から二年前の二〇〇七年の八月二二日、水曜日です。そのころ私は『武蔵坊弁慶』の出版を間近にひかえていました。「放射性炭素年代測定」と武蔵坊弁慶と「歴博の見学」（後述）とどのような関係があるのか不思議に思われるかもしれませんが、私は弁慶が桓武天皇による三八年エミシ征討戦争によって捕虜にされたエミシの末裔であると想定しているからです。

私にとって今年三月に出版した『隅田八幡鏡』は『武蔵坊弁慶』の姉妹編です。現在、「隅田八幡人物画像鏡」（実物）は国宝の金石文として、上野国立博物館の「考古館」に展示されていますが、いっぽうの「弁慶」は実在したのか、しなかったのかわかりません。

しかし日本の古代が朝鮮人渡来集団によって建国されたのであれば、縄文人＝エミシは先住民です。なぜなら応神陵に埋葬された大王は、四六一年百済から倭国に渡来した昆支王であることがまぎれもない事実だからです。ちなみに津田左右吉は大和王朝に対して、東北以北の住民を異民族アイヌ＝蝦夷としています。もう一度『天皇象徴の日本と〈私〉１９４０―２００９』に掲載した津田左右吉の「建国の事情と万世一系の思想」をご覧ください。

日本古代の縄文・弥生・古墳時代の実年代を特定することはとても重要です。ところが二〇〇〇年に入ってから、奈良国立文化財研究所（奈文研）は年輪年代測定による古墳の年代を従来から一〇〇年前後遡らせました。

先に述べた二〇〇九年五月二九日の朝日新聞の報道は、これら一連の動きと無縁ではありません。しかし問題なのは箸墓古墳の築造が二四〇年代まで遡るのではありません。箸墓古墳の周辺ばかりでなく、応神陵も仁徳陵もその他のすべての古墳全体の整合性を検証しなければならないはずです。

日本古代史の真相を決定的に明らかにした「隅田八幡人物画像鏡銘文」については次のようなことがありました。私はこの年（二〇〇九）二月二一日（土曜日）開催（市ヶ谷アルカディア）予定の「隅田八幡鏡出版交流会」のための案内状を作成し、受付で当日出席の皆さんに事前にお渡ししたものです。いわば私が一介の編集者になり、物書きになった自己紹介の類いです（――以下）。

――「隅田八幡鏡」の出版交流会に出席の皆様、今日は本当にありがとうございました。心からお礼を申しあげます。ところで私に残されたスピーチの時間も限られていますので、私の出版人生の当初から「隅田八幡鏡」と少なからず奇妙で不思議な関係があったことをお話して私の挨拶とさせていただきます。話が横道にそれる場合を考え、スピーチは簡単にして、刷り物にしてお渡しいたしますのでパーティ終了後にお目通しいただければ幸いです。

今日は二〇〇九年三月二八日ですが、今から四三年前の一九六六年四月はじめ、私は毛沢東語録でベストセラーを出した宮川書房という出版社に職を見つけました。会社は衆議院会館の裏通りのＴＢＲというビルの四階にありました。当時すでに私は大学に通うのをやめて、いとこが経営する学習塾でアルバイトをしていましたが、ようやく本格的に働くことにしました。

編集者希望でしたが、面接をした社長が「君は電話セールスがよさそうだ」と言って、その日、いきなり『戦後日本教育史資料総覧』という六〇〇〇円の電話セールスを試験的にやらされ、その日から採用ということになりました。一冊二割五分一五〇〇円のコミッションを冊数に応じて週末に支給されるのです。

翌日から原書房の学校名鑑を渡され、都内の小・中学校の校長先生に電話をしました。一日に電話を三〇件から四〇件ほどかけ、午後かその翌日に四冊ほどカバンに入れて江東・葛飾・荒川などの小学校を回りました。しかし支出命令書という書類のため入金は早くて一ヵ月後になるので、最初の一ヵ月は一銭もお金が入りませんでした。

しかし、自分のアイディアで教科書関係の出版社や新聞社をマーケットにするようになってから、販売実績も先輩諸氏に追いつくようになりました。そうこうするうちに売る物がなくなったので、私は国立国会図書館の立法考査局農林調査局で出した文献資料からヒントをえて「戦後日本の農業と農政」に関する資料集を出したら、全国に農協八〇〇〇件、各市町村役場にある農業委員会四〇〇〇件、それにダイヤモンド社の会社録に掲載されている数千の会社が販売対象になるに違いないと考えました。

今日ここに出席していますが、私の高校時代からの友人皆川昭一さんが国会図書館前にある社会党機関紙『社会新報』の記者をしていましたので、私はちょくちょく彼に会っていました。そのころ彼から佐藤粂吉という彼の大学時代の先輩を紹介されました。その粂吉さんは、同じくここに御出席の葉山夫人のお連れ合いであります葉山岳夫弁護士と六〇年安保闘争のメンバーでした。

皆川さんと佐藤粂吉さんは東北大学で先輩と後輩の関係で皆川さんは川内分校（教養部）、粂吉さんは全学の委員長という関係であったと思います。葉山夫人のご出席につきましては本人からお話があると思います。

佐藤粂吉さんと皆川さんと私はよく一緒に食事をしました。粂吉さんはお酒が入り、話が昂じてブント初代書記長の島成郎や「六・一五国会突入」を指導した北大の唐牛健太郎のことになると、彼の目からボロボロと涙がこぼれ落ちました。私と皆川氏は「また、始まった」とよく顔を見合わせたものです。

粂吉さんは百姓仕事（いまでいう農作業）をさせたならピッタリのがっちりし体格をしていました。眼がパッチリして歯並びのよいキレイな歯と秀でた丸い顔の福島弁が印象的でした。話しだすともう止まりませんでした。当時、佐藤粂吉さんは神田あたりの印刷所か業界新聞かでアルバイトしていました。

そのころブント系の幹部は田中清玄から資金をもらって生活をしているというような噂

が飛び交っていました。私は粂吉さんに農政資料の編集責任者として宮川書房に来てもらうことにしました。こうして粂吉さんをキャップとする同郷のＴさんと私と三人で、五ヵ月ほどでＢ判、二段組、八〇〇頁で定価八〇〇〇円の『戦後日本農政史資料総覧』を作りました。

　全体の目次は佐藤粂吉さんがつくり、私は全体の三分の一にあたるＧＨＱ指令の「日本の農民の解放」から始まる第一部を担当し、粂吉さんとＴさんは二部と三部を担当しました。三人は立法考査局の文献にしたがい国会図書館でとった新聞・雑誌・資料のコピーをつなぎ合わせました。

　この本は発行者を「戦後日本農政史刊行会」とし、会長に福田赳夫《たけお》をすえ、冒頭に福田赳夫の「刊行のことば」を入れました。当時（一九六八年）、福田赳夫は佐藤内閣（第二次佐藤内閣）の幹事長をしていました。本はとてもよく売れました。一冊につき二〇〇〇円のコミッションが入るので、私たちは夜の新宿に繰り出しました。

　電話セースルのメンバーの中には元銀行員、不動産屋、東宝の元映画助監督、河出書房の雑誌「知性」の元編集者などさまざまな人がいましたが、平均年齢が四〇歳前後で、私が最年少の二〇歳代の半ばでしたので、大事にされ、可愛がられました。

　社長の宮川さんには、「朝が早いね」と言われ、よく小遣いをもらいましたが、私は早朝だれよりも早く出社すると、勝手に風呂に入ったり、高そうなシェービングクリームを使ったりしていました。社長はまだ若い三三歳前後のブラジル帰りの英語が堪能なダンディな人でベンツに乗っていました。TBRビルの同じ四階には中曽根康弘の緑風会の部屋があり、トイレでよく私は中曽根氏と遭遇しました。

　またぞろ売る物がなくなりかけた頃、粂吉さんはある会合で会った木内信胤という元横浜銀行の頭取で世界経済調査会長なる人物から「次は国字国語が良い」とアドバイスされたと興奮気味に私に話しました。

　そのころ、私と同じ早稲田大学露文科の友人中井茂雄も私の紹介で宮川書房の編集部で働いていました。その中井さんは、たまたま「国語問題協議会」の会員でした。木内信胤はその「国語問題協議会」の理事であることを中井さんから知ることができました。中井さんは三島由紀夫が大好きでした。私と彼は三島由紀夫でケンカをして黒沢明で仲直りしました。

「国語問題協議会」は、旧かなづかい・旧漢字使用を主張する組織です。そういえば三島由紀夫も旧かなづかい派でした。理事長は日本経済新聞の小汀利得で、理事には前東大フランス文学の市原豊太、東大中国文学の宇野精一、神奈川県教育センター所長の鈴木重信、元文部省主任教科書調査官の村尾次郎、東京大学国語学の築島裕教授、前東大国文学教授成瀬正勝、画家の林武、シェークスピアの訳者福田恒存などがいました。私はこのメンバーと一緒に林武画伯の招待で犬吠埼ホテルの一泊旅行に同行しました。

　中井さんは「国語問題協議会」の事務局長の小学校教頭をしている岩下保氏を知っていました。中井さんの紹介で私は岩下氏の自宅によく通い夕食など御馳走になりました。いま考えてみますと、私は教師によく怒られ、殴られたりもして教師は嫌いでしたが、いっぽうでは小学校四年生の担任博田先生に可愛がられたことや当時校長として赴任してきた土田寛治先生、仲人の早大露文の金本源之助先生、そして石渡信一郎氏との出会いなど、教師が決定的なところで私を幸運に導いてくれたことにつくづく感謝しなければなりません。

「国語問題協議会」の事務局には評論家兼作家の土屋道雄氏、麻布学園の国語教師近藤祐康氏がいました。私は佐藤粂吉さんと中井さんに「国語国字」の資料集を担当してもらうことにしました。しかし、まもなく宮川書房は倒産する破目になり、佐藤粂吉さんと中井さんは宮川書房を去ることになりました。

佐藤粂吉さんと中井さんは対照的な性格でした。一方は弁舌さわやかで饒舌でしたが、一方は寡黙でした。しかし二人とも商売や会社人間としては不向きでした。ましてや電話セールスという仕事はとても無理に思えたので、私はいっさい二人を誘うことはしませんでした。

電話セールスのグループは債権者の印刷会社に負債を返済する条件で、飯田橋にある印刷会社の一室を借りて、『戦後日本農政史資料総覧』の地方出張の販売経費と国語国字教育資料の編集・制作費を出してもらい、一九六九年一月『国語国字教育資料総覧』（八〇〇〇円）を出すことができました。本の奥付には編集者の一人として当時の文部大臣坂田道太などと一緒に私の名前も載っています。

資料の編集その他の執筆作業は、事務局の土屋道雄氏がほとんど一人でやり遂げ、私は岩下保氏のアドバイスを受けて販売政策に必要な西尾実と久松潜一を監修者につけることに成功しました。しかし、この本は土屋道雄氏がいなければ完成しなかったと思います。土屋氏は防衛大学卒の研究者でしたが、その並外れた集中力と持続力は、もし彼が別の大学（国学院など）と学科を選択していたならば、きっと大学者になったと思わせるような人物でした。

当時、西尾実先生の住まいは高円寺近辺だったと思いますが、どのように行ったのか忘れてしまいました。覚えていることは、近くから電話を入れると「そこから何分、距離にして何メートル」と、とても分かりやすい説明されたことです。そして「福田恒存は私の教え子で、かつ仲人までしてやったんだが、国字派になった」と熱心に話す様子は少しも嫌味がなく、私が先生に「監修者になってください」と何回も繰り返したせいか、「うん」と言ってくれました。

先生はとても目が悪くなっている様子でした。私は先生がほんとうに監修者を引き受けてくれたのか、ちょっと心配でした。次の日、久松潜一先生を訪問しました。先生は私の住んでいる練馬羽沢に隣接する小竹町に住んでいました。

部屋に案内され挨拶が終わると、私は開口一番、私の住まいが羽沢町であること、昨日、西尾実先生が監修者を引き受けてくれたことを話すと、先生はすぐ「いいですよ」とあっけなく了承してくれました。その日のうちに西尾先生に久松先生が監修者を了承してくださったことを電話で報告しました。

編集業務の間をぬって私も富山県・石川県・新潟県に出張して、旅館の玄関の電話ボックスから十円玉を次々にいれて、農協の組合長にセールスしました。「福田赳夫の農業政策研究会」などと言って相手を呼び出すのですから、組合長は飛ぶようにして電話をとってくれます。切れ者の元日航職員は新婚ほやほやということもあり、博多にマンションを借りて九州全域の販売を受け持ち大いに稼ぎました。彼は私より一歳年上でしたが、私の面倒をよく見てくれました。

四二、三年のことをくどくど思いだしましたのも、実はつい最近、ふとしたことから、本棚の隅にある『国語国字教育資料総覧』のケースに隅田八幡鏡の写真を使っていたことに気がついたからです。さらにケースから本体を抜き出してみると、濃紺の布製の表紙に「隅田八幡人物画像鏡」の箱押しをしてあるのです。当時、私はこの鏡のことについてまったく無知であったことに驚きました。もちろん「国語問題協議会」の理事の面々は「隅田八幡鏡銘文」が日本で最も古い金石文であるが故に国宝であることを承知していたからこそ、鏡を表紙の箱押しに使ったのでしょう。

このことに気がついた私は、急に今回の交流会に佐藤粂吉さんにぜひ出席しもらおうという強い衝動を抑えることができませんでした。しかし一〇年前、皆川氏と私の三人が神保町で食事をした後はまったく互いに音信不通の状態でしたので、連絡する方法が見つかりませんでした。神保町の会合で、粂吉さんの話から彼が釜ヵ崎で日雇い労働をしていたことや、草刈機の刃が石に当たりその飛び散った破片で重傷を負ったことを知りました。

粂吉さんの消息を探すことをほぼあきらめていたころ、たまたまパソコン検索で、「二〇〇六年六月一五日、デモに行こう」というキャッチフレーズで、粂吉さんが樺美智子さんの遺影もって待機するという記事を目にしました。葉山岳夫弁護士ならば何らかの連絡先を知っているのではないかと、三月八日付で「隅田八幡鏡出版交流会」の案内上を同封して送りました。ポストに投函する際、私は「もし、佐藤粂吉さんの連絡先が分からない時は、葉山先生が出席するかもしれない」とふと思いました。

三月二六日の午後、葉山夫人から私の家に電話がかかってきて、「こんどのパーティに私が出席します」という電話の声でした。私は「それは大変うれしいことです。ちょうど桜が咲くころですからお待ちしています」と実際とてもうれしくなりました。

葉山夫人は粂吉さんとは連絡が取れなかったとも何とも言いませんでしたので、私の方も何も聞きませんでした。「実は私は大阪の出身ですが、私の祖父の武田の墓は、通法寺にあります。私は源義家のことをとても知りたいと思っています」と夫人。

この言葉を聞いて、これぞ出版交流会の醍醐味なのだと、つくづく思ったのです。「源頼義には義家・義綱・義光の三子がいます。三男の義光の子義業から佐竹が、二男の義清から武田がでます」とついに興奮した私。葉山夫人の電話で話したことは、正確でないかもしれませんが、もし間違いがありましたら、私の耳がとても悪いことに免じてお許しいただきたいと思います――。

（二〇〇九年三月二八日、『隅田八幡鏡』の著者林順治）

歴博で天皇夫妻に遭遇

二〇〇七年七月三日火曜日から九月二日の日曜日まで、歴博で「弥生はいつからか!?――年代研究の最前線」の展示会が開かれました。当然、年代測定方法による歴博の研究成果の展示をメインとします。私はその展示会に行ったのです。とっておきの話とは、その日、私は天皇夫妻と歴博の坂道で遭遇したことです。おかしいと思ったのは、当日、佐倉駅を降りて交番で道を聞いたときと観光案内所で市内の地図をもらったときです。職員の対応が妙に落ち着きがなく、私をジロジロみるのです。

　案の定、歴博の坂道の両側に多くの警官が立っていました。その一人の警官に尋ねると天皇が歴博の観覧に来るというのです。「ここにいてもいいのでしょうか」と聞くと「どうぞ、どうぞ」を若い警察官は愛相よく勧めるのです。

「何かあるのですか」と尋ねると、「間もなく天皇が到着します」と言うのです。結局、天皇夫妻が入場するまで私もその他の見学者と一緒に歴博の入口で待たされました。つまり天皇を歓迎するかたちになったのです。警護の警察官は驚くほど友好的で和《わ》気《き》藹々《あいあい》と市民や見学者に対応しています。

ですから、館内に入ってからも天皇夫妻を二度ほど至近距離でみることができました。その近さはこちらが心配するほどでしたが、一瞬、職員も見学者も警察官も私もあたかも催眠術にかかったように穏やかなもの優しい気分になったのは不思議です。というのは、周囲がすべてにこやかに微笑んでいるからです。市民・見学者を巻き込んだ主催者側の見事な演出と言わざるを得ません。

私は展示室を一通り見て、館内の食堂で昼食をとって帰ろうしたのは午後一時過ぎでしたが、そのとき天皇夫妻が帰る時でした。ということで、今度は私がまた天皇夫妻を見送るかたちになったのです。その間の私の滞在時間は約三時間ほどですが、天皇夫妻は、二時間近く「放射性炭素年代測定」の講義を受けたことになります。

天皇夫妻が館内で昼食をとったとすれば、講義を受けた時間は一時間ほどかもしれません。天皇夫妻のこのような日程を誰が組むのか分かりません。歴博が宮内庁を動かしたのか、天皇夫妻が見学を希望したのかもしれません。それにしてもこの日は天気は快晴でした。

前方後円墳の開始はいつからか

歴博の元教授春成秀爾氏と今村峰雄氏には『弥生時代炭素14年代を巡って』という著作があります。春成氏は歴博発行の『時間の化石――弥生の年代を追う』で弥生時代について次のように書いています。

日本列島において水田で稲作を始めた時代を弥生時代といい、その終わりは前方後円墳を造るようになった時代の始まりで区切っています。弥生時代を早期、前期、中期、後期の四時期に区分し、炭素年代の測定結果を用いると九州北部では早期は前一〇世紀中ごろから始まり、後期は後三世紀に終わることになります。

『前方後円墳の世紀』（日本の古代　全一五巻・別巻一巻、森浩一編、中央公論社）という本があります。この本の中で地理学者の日下雅義と人類学者の埴原和郎はとても示唆的なことを書いています。

日下氏は、「台地の変貌と古代人の営為」という論文で、「崇神紀六二年」「応神紀一三年」の「依網《よさみ》」の築造は五世紀中葉から末期頃と推定しています。依網池は大阪市住吉区にありますが、日下氏はこの周辺一帯の開発が始まる時期と、依網池の築造年代とは一致していると指摘しています。

日本の古墳時代を前・中・後期に分類しているこの本の編者で考古学者の森浩一氏は、最終章の「古墳時代と前方後円墳」で「日本の古墳前期から中期にかけての中国は、華北では五胡十六国時代（三一六―四三九年）であった」としています。森氏の視点に立てば、中期にあたる応神陵は四五〇年代の築造となります。ちなみに石渡信一郎氏は応神陵（誉田陵）の築造年代を五〇〇年前後と推定しています。

弥生時代中期とは

古墳の発生は三世紀なかごろとか、三世紀末ごろとか、いや四世紀初めとかよく見聞きしますが、前期前方後円墳は春成秀爾氏の指摘する「古墳」の範疇に入るのでしょうか。氏の記述からはそのことがよくわかりません。

森浩一氏は大阪平野区の加美遺跡の長形方墳を近畿地方の弥生式時期の中期後半に位置づけています。森氏は、福岡県糸島郡前原《まえばる》町の三雲南小路遺跡の甕棺《かめかん》など伊都《いと》王墓や奴《な》国王墓と同じ時期としています。このように森氏は加美遺跡や甕棺墓の時期を弥生時代の中期として、前期前方後円墳の時期とははっきり区別していますが、春成氏と森氏の整合性はどうなるのでしょうか。

さらに人類学者の埴原和郎氏は「骨から古墳人を推理する」で「日本人は二つの民族が混合した複合民族と考えられる。その基盤となったのは縄文人であり、もともと東アジア南部に起源をもつ原モンゴロイドである」とし、次のように指摘している。

> すると、日本人は原モンゴロイドと朝鮮を経由した北方モンゴロイドとの二重構造によって形成されたと理解することができる。そして古墳時代はまさにこの二つの集団が混じり合い、政治・社会的には異文化との折衝による摩擦が生じ、生物学的には混血が起こった時代と言える。

歴博の体質

これら地理学者・考古学者・人類学者の指摘する事柄と、国に所属する研究機関である歴博の主張する卑弥呼＝箸墓古墳＝邪馬台国大和説との整合性はいったいどうなるのでしょうか。最近、ネット検索で、このところの歴博の発表に疑義を抱いているＡ教授は、歴博は異論があるにもかかわらず、自ら主張してきたことのみに重点をおいているとし、次のような注目すべき発言をしています。

> 歴博は平成一六年から二〇年の五年間にわたり、総額四億二〇〇〇万円の「学術創生研究費」を得て、「弥生農耕と東アジア――炭素年代測定による高精度編年体系の構築――」の研究を推進している。一般の科学研究費が古代史と合わせても年間四億五〇〇〇万円程度なのと比較するならば、極めて重要視された研究である。

五月二九日の朝日新聞発表の数日前、私は箸墓古墳の南側の発掘現場を見学するために桜井駅から天理方面に向かうバスに乗りました。国道一六九号線の両側に「卑弥呼の里」の幟《のぼり》が間断なく立っています。箸墓古墳近くのバス停で下車して、現場と思われる場所に直行しましたが、すでに埋め戻したのでしょうか。何の説明板もなく表示もありません。市の埋蔵文化センターに電話をすると、「発掘調査は中断している」との返事です。何の説明板も表示も、尋ねる人もいない田圃の中で、私は独り茫然と立ちすくんでいました。

わが友は川越藩家老の子孫なり

都議選当日の朝日新聞のスクープ記事から「放射線炭素測定法」の話になりましたが、選挙を済ました私はコンビニで買った新聞を読み、テレビ朝日のサンデープロジェクトを見、一一時半ごろ妻がつくった弁当を食べてから一時半まで昼寝をしました。ちょうどその日は朝から曇り空なので池袋まで歩くことにしました。

地下鉄有楽町線にそって小竹向原から池袋丸井店までおよそ四キロです。急がず歩いて五〇分です。途中で友人の小島君に電話を入れて池袋丸井店のはす向かいにあるベローチェという喫茶店で落ち合うことにしました。彼は写真家ですが、今はほそぼそとやっています。結婚は一度もしたことがなく、したがって離婚したこともありません。

彼は私がはじめて勤めた出版社時代からの友人です。池袋駅からそう遠くない所に住んでいるのです。電話を入れると自転車にのってやってきます。創価学会員になってだいぶ経ちます。今日は上機嫌です。「全員当選？」と私。「多分」と小島君。いつもは一〇分ほど話をして別れますが、今日は彼の祖祖父で川越藩家老職にあった小島信義の話になり、彼と一緒に「小島信義」なる人物を調べるため近いうち広尾の都立中央図書館に行く約束をしました。彼はのんびりした人間です。彼の祖祖父の川越藩家老は坂戸から川越まで馬で通勤したそうです。その馬小屋がつい最近まで坂戸の実家にあったと言うのですから驚きです。

私はふざけ半分に彼を「殿」と呼んだりしますが、彼は私の頼みを断ったことはありません。

彼と別れてから、東武デパートの旭屋、西武のリブロを回り、ジュンク堂で『天皇・天皇制をよむ』を（東大出版会）を買って、そのまま明治通りを下り、千歳橋の手前で目白通りに入る右手の坂を上って学習院大学やJR目白駅の前と通り過ぎ、環状六号線（山手通り）を横切ってから千川通りに入り、そのまま西武線江古田駅近くまで歩き商店街を通ってわが家に帰りました。このコースだと行き帰りで一二キロほどです。

民主党政権誕生

その日、夜の一一時前後には民主党の過半数がほぼ確定しましたので、私はようやくベッドに入りました。翌日の朝刊各紙の見出しは「民主党圧勝　第一党」「自公、過半数割れ」「解散先送り論広がる。問責可決なら緊迫」と朝日。「民主圧勝　都議会第一党」「首相週内解散を決意」と読売、「自公、都議会過半数割れ」「首相進退波及も　民主圧勝第一党に」と毎日。「自公過半数割れ」「都議会、民主が第一党　麻生降ろし強まる」と東京新聞。日経はトップに「キリン、サントリー経営統合へ」をもってきて、「自民惨敗　与党過半数割れ」とする。「自公過半数割れ　民主党第一党、五四議席」とサンケイ。

都議会選の党派別当選者数を見ると、合計一二七議席の内訳は、自民が四八議席から三八議席（うち新人四）、民主三四議席から五四議席（うち新人二四）、公明二二議席から二三議席（うち新人二）、共産一三議席から八（うち新人二）、社民〇議席、前回と同じ。ネット四議席から四（新人一）、諸派一議席から〇議席、無所属三議席から二議席（新人一）。

各党派の得票数は自民一四五万八〇〇〇（二五・八八％）、民主二二九万八〇〇〇（四〇・九％）、公明七四万三〇〇〇（一三・一九％）、共産七〇万七〇〇〇（一二・五六％）、ネット一万（一・九七％）、行革一一〇番三万一〇〇〇（〇・五五％）、社民二万（〇・三六％）、諸派一万四〇〇〇（〇・二六％）、無所属二五万（四・四％）でした。有権者総数は一〇四六万九七二九人、投票者数は五七〇万五四四一人、当選者数は五七〇万五四四一人、投票率は前回の四三・九九％を上回る五四・四九％でした。

麻生降ろし激化

「首相の被ったダメージは深刻だ。静岡知事選選挙での敗北に続いてのことであり、政権交代への有権者の期待の大きさが浮き彫りになった」と朝日社説。「さきに党役員人事の断念に追い込まれた首相には、衆院解散に踏み切れるか、すでに疑問符がついている」と毎日新聞社説。「自民党内で、解散の先送りを求める声や麻生退陣を前提とした総裁前倒し論が強まるのは避けられない。首相が早期解散に打って出る強硬策をとれば、党は分裂を含めて大混乱に陥る可能性ある」と読売社説。

「異説ではあるが、私はポスト小泉の安倍晋三、福田康夫、麻生の三代にわたる首相が靖国神社参拝に踏み切れなかったことを大きな理由としてあげたい」とサンケイ新聞政治部部長乾正人。ちなみに小泉純一郎→福田康夫→安倍晋三は森喜朗の派閥清和政策研究会に所属しています。麻生首相が昨年九月二二日の自民党総裁選で森派の協力を受けて総裁になったのは知られたことです。

「自民惨敗で麻生降ろしが激化しそうだ。総裁選前倒しへ党両院議員総会開催の動きも出てこよう。そんな中、民主は今夕にも内閣不信任案を提出する。総選挙を前にだれが衆院を解散するかさえわからない異常事態の様相だ」と東京新聞社説。「都議選直後の衆院解散を模索していただけに、この敗北は致命傷になりかねない。首相は自らの手で解散できるかは一段と不透明になっている」と日経社説。

日刊ゲンダイのスクープ

ふだん私は社説をほとんど読みませんが、今回、各紙一通り目を通しました。ここ二、三年、私は日刊ゲンダイをかかさず読んでいます。今年の初めごろから一〇円値上げして一三〇円になりました。日曜日が休刊です。私は競馬はやりませんので、土曜日は少しもったいないのですが、近くのコンビニや駅の構内で忘れずに買います。ところで、その日刊ゲンダイ（七月一一日付）に「飛び交う麻生『バカヤロー解散説』という見出しで面白い記事がでています。

> 「都議選の勝敗について、麻生さんはすでに「国政と地方選は別」という予防選を張っている。自公で過半数割れしているのも自分のせいじゃないと強弁する。もちろん退陣はない。各種世論調査でも、総裁選前倒しには反対が多い。だったら『オレが解散した方がマシ』と考えているのです」（自民党関係者）。

いかにも自分勝手な麻生が考えそうなことだが、そうなると都議選翌日、一三日の解散、八月上旬総選挙となる。天皇は海外公務中で一七日まで戻らないが、そもそも「天皇外遊中ならば国事行為は皇太子で代行できる」という奇策の言い出しっぺは麻生本人だ。「麻生さんは『皇太子も将来を考えて解散を経験してもらった方が良い』といわんばかりの強気の姿勢」（前出の自民党関係者）というから尋常でない。

この記事では自民党関係者が誰かわかりませんが、かなり真実性をおびています。はっきり言って大スクープです。事実、朝日新聞は一三日夕刊トップで「総裁選挙八月三〇日投票」「首相、与党と合意、七月二一日にも解散」とし、八月一八日を公示日としています。

読売の夕刊も「衆議院来週解散八月三〇日投票」と「八月三〇日投票」は朝日と同じですが、朝日のように解散日を「二一日」としないで「来週以降」としています。毎日新聞夕刊は「首相『解散ちかく判断』」という見出しで、東京新聞の夕刊と同じように投票日・解散日については言及していません。

「天皇の海外公務」

すると一二日（都議選）の朝日朝刊トップ記事に、一一日の日刊ゲンダイの「天皇外遊」（天皇の海外公務）をふくめた記事と一三日の朝日夕刊と読売夕刊の記事をプラスすると状況はかなりはっきりします。それではなぜ、麻生首相は一三日解散としなかったのでしょうか。どうして二一日を解散予定日としたのでしょうか。これには「天皇の海外公務」（平成二一年＝二〇〇九年七月三日－七月一七日）が関係しています。主要メディアは、カナダにおける天皇訪問先を逐一報道しています。

一四日の朝日新聞によれば、麻生首相は午前中までは「週内解散、八月上旬投開票」の予定でした。というのは、一三日の午前一一時過ぎ、麻生首相は官邸執務室で細田博之幹事長と大島理森《ただもり》国会対策委員長に、「党内がゴタゴタするなら今週中に解散したい」と切り出しました。民主党が提出する首相問責決議案に対抗する形で、自民党内の「麻生降ろし」を一気に封じることができるからです。

都議選の壊滅的な敗北のショックからできるだけ時間を置きたいと考える公明党の意向をくんだ大島国会対策委員長は、「公明は『八月三〇日投票』なら容認する」との感触を首相に伝えました。しかし、八月三〇日を投開票するには、逆算すると解散は週明けに先送りしなければなりません。八月一三日にこだわる麻生首相は大島と細田の三者会談で解散を週明けとすることに妥協しました。首相は他の党役員ならびに公明党の太田代表、北側一雄幹事長を呼び、同意を取り付けたのです。

天皇一行の首席議員は元首相福田康夫

しかし、週明け二一日（火曜日）の解散まで、一三日を入れて八日あります。何がおきるあぶない選択です。一八日（土）、一九日（日）、二〇日（月）は三連休です。二〇日は海の日です。すると一三日（月）、一四日（火）、一五日（水）、一六（木）、一七日（金）の五日間をしのがなければなりません。

八月上旬投票を嫌ったのは公明党だけではありません。自民党最大派閥の町村信孝派も「一四日解散」の可能性があると見て、森元首相は解散先送りを首相に伝えるよう同派閥出身の細田幹事長に託したのです。

麻生首相はほんとうに一三日か一四日の解散を望んだのでしょうか。彼はその選択が党内の猛烈な反発を呼び起すことを知らないはずはありません。かといって一日でも解散日を先送りすることはそれだけで身の危険が高くなります。それではなぜ麻生太郎は無駄とも見える五日間をしのぐことを可能とする方法を見いだしたのでしょうか。

天皇は七月三日午後二週間の予定で羽田空港を出発しました。帰国するのは七月一七日（金）です。空港の貴賓室での出発行事には、麻生首相、衆参両院議長らが出席しています。天皇一行の首席随員として元首相福田康夫が同行しています。麻生首相の見送りの言葉を受けた天皇は「私たちの訪問がカナダと日本の相互理解と友好関係の増進になるよう願っています」と挨拶します。

麻生首相の姻戚関係

麻生首相は母方に曽祖父牧野伸顕《のぶあき》がいます。明治の元勲大久保利通の第二子である牧野伸顕は娘婿に吉田茂がいます。吉田茂が麻生太郎の母方の祖父であることは誰でも知っていることです。牧野伸顕は大正一〇年（一九二一）に宮内大臣に就任し、大正一四年内大臣に転じて昭和一〇年（一九三五）まで在任しています。

牧野伸顕に対する昭和天皇の信頼は大きく、牧野の退任を聞いた昭和天皇は涙を流したという逸話までのこっています。牧野は宮中、外交関係に絶大な影響力をおよぼしたのです。しかも麻生太郎の妹信子は寛仁《ともひと》親王（一九四六―二〇一二）に嫁いでいます。寛仁は昭和天皇の弟三笠宮崇仁《たかひと》（一九一五―二〇一六）の第一子です。ですから現在の天皇と寛仁とはいとこ関係になるのです。

麻生太郎が威張ったものの言い方をするといって、マスコミが揶揄《やゆ》していますが、麻生太郎は憎まれることを知って振舞っているのです。彼にとって漢字の読み方が知らないと馬鹿にされても気にしないのです。なぜなら漢字の読み方などこまごましいことを習う必要のない身分にあったことぐらい、大衆は知っているだろうと思っているのです。

「オピニオン」（朝日新聞）

都議選から二日経った七月一四日の朝日新聞朝刊は、さっそく二人の識者、御厨貴東大教授と学習院大学教授の佐々木毅を「オピニオン」に登場させています。東大教授といっても、御厨氏の肩書は「東京大学先端技術研究センター教授」です。どんな研究をするところかわかりませんが、氏の政治分析は定評があり、『天皇の政治』という本もあります。

二〇〇一年一二月二三日の誕生日を前にした現天皇が、日韓共同開催のサッカーワールドカップ前の記者会見による質問に答えました。天皇が「私自身としては、桓武天皇の生母が百済武寧王の子孫であると、『続日本紀』に記されていることに、韓国とのゆかりを感じています」と答えただけですが、日本のマスコミは大騒ぎしました。そのとき、識者の一人として朝日新聞から取材を受けた御厨氏は「百済の武寧王と皇室とのゆかりにふれたくだりはやや踏み込んだ印象」と発言しています。

　御厨氏は、天皇と皇室・皇族の存在を抜きにして近代日本の政治を語ることができないと考える政治学者です。氏は『戦後政治の総決算』という本でサントリー学芸賞を受賞しています。自慢ではありませんがサントリー学芸賞といえば、私が編集担当をした大嶽秀夫氏の『現代日本の政治権力経済権力』（三一書房、一九七九年）は第一回の学芸賞を受賞しています。

　朝日「オピニオン」の一方の佐々木毅氏は元東大総長ですが、マキャベリの研究では塩野七《しおのなな》生《み》と同じですが、南原繁→丸山真男→福田歓一ら東大法学部政治学の本流を歩んできた学者です。

　佐々木氏は秋田県横手盆地北部の美郷《みさと》町の出身ですが、私は一〇キロ南の雄物川町です。私は横手高校ですが、彼は秋田高校です。年齢もさほど変わりません。すくなからず関心を持たざるを得ません。朝日新聞「オピニオン」における「戦後政治の総決算」としての政治分析は、彼の政治学者としての洞察力をいかんなく発揮した好論文です。この点七月一四日の朝日新聞朝刊におけるこの二人の識者の登場はベストだと思います。

　この「都議選顛末記」では天皇問題に強い御厨氏のインタビューを手短に紹介してひとまず

終えようと思います。御厨氏は天皇については直接言及していません。大新聞のインタビューで天皇の話は気がひけるのでしょうか。

「天皇と皇室・皇族を抜きにして近代日本の政治は語れない」という氏の発言はどうなっているのでしょうか。御厨氏は麻生首相の解散決断を「グッドルーザー」と位置づけています。誉めているのか、貶しているのかわかりませんが、いずれにしても八月三〇日の総選挙後の政権交代後に起きる政治状況を見据えてのことでしょう。ところで記者の「グッドルーザー」についての記者の質問に対して次のように答えている。

グッドルーザーとは

「麻生首相が事前に解散・投開票日を「告知」する挙に出ました。どう評価しますか」と記者。

「今回ばかりは麻生首相が初めて政治家らしい決断をしたのだろうと思う。先手を打って解散を宣言した形だ」と御厨氏。「祖父・吉田茂が終戦に際して言った〝負けっぷりをよくする〟ではないが、〝グッドルーザー〟』ということでないか」と御厨氏。

「〝解散告知〟とはあまり聞いたことはありませんが」と記者。「自民党がほんとうに死に体なら、首相の言いなりになる。一日、二日のうちに反対派がグループを作り、麻生首相をおろして声明を出し、運動を展開したはずだ。それができないなら、状況を規定した麻生首相の方が強い」と御厨氏。

「このタイミングをねらっていたのでしょうか」と記者。「間違いなくそうだろう。日程的によく練られている。首相はサミットに行って帰って来て、都議選を挟んでずーと首相公邸にこもっていた。そこで何を考えていたか。都議選の結果次第で判断するのではなく、都議選が終わったら告知しようと思っていたのだろう」と御厨氏。

「麻生首相はこういう行き詰まった時の戦いは案外強いのかもしれない。自民党の多くの議員はこの告知に呆然としているようだ。負けるかもしれない戦いに断を下したのは、首相だし、解散せずにこのまま退陣したらこの後の芽はもうない。安倍晋三、福田康夫と二代の首相が途中退陣したが、ひょっとするとグッドルーザーとして生き残れるかもしれない」（御厨氏）。

二〇〇九年八月一五日

今日は二〇〇九年八月一五日（木曜日）です。六四回目の終戦記念日を迎えることになります。八月三〇日の衆議院選挙もあと半月となりました。ここ二、三日朝五時になると薄恐ろしい地震の揺れも今日はありません。朝日新聞は一面下段に「核密約関連資料があった」「外務省元条約局長が寄稿」という見出しです。

元条約局長という人物は、元オランダ大使で現在六四歳になる東郷和彦氏です。なにやら今後もこの手の寄稿やら内部情報の提供者が出てきそうです。やはり「政権交代」の余波でしょうか。そう言えば、第四面の政治欄に「田中真紀子氏、民主党入党」や「背水の自民派閥会長」「地元張り付き」という見出しが目に付きます。

「背水の自民派閥会長」の記事を読んで思わず吹き出しました。「麻生降ろし」を鎮圧した派閥会長らが苦戦しているというのです。伊吹派の伊吹文明元幹事長はとても比喩がたくみで知恵者です。「全国惨憺たる状況だよ。風速四〇メートルなら自前の後援会で耐えられる。五〇メートルになると何とかなるレベルを超えている」と自派の河村官房長官にぼやき、「麻生総理の一年間に作られたイメージを変えるのに大変だ。外務省はいやがるだろうが、外交で毅然とした態度を見せるべきだ。北朝鮮への制裁を強化するとか」と注文をつけたそうです。

伊吹氏とともに「麻生降ろし」を鎮圧した最大派閥の町村信孝官房長官も自派の応援にはほとんど回らず、地元の北海道五区に張り付く日々というのです。青森三区の大島理森国家対策委員長は八戸市の朝市に野球帽に長靴姿で現れたそうです。

古賀派の古賀誠元幹事長も山崎拓元幹事長も同じです。「何で麻生さんを支えるのか。自民党が勝つと、麻生さんが総理を続けるのか」「自民党には勝ってほしいが、麻生首相には辞めて欲しいというジレンマが支持者にある」と演説には麻生首相の名前は口にできない選挙活動の日々だというのです。

政治・マスコミ界の長老会談

『文藝春秋』九月号の新聞広告に気になる座談会が載っていたので、江古田駅近くの書店で買ってきました。その中身を一部紹介します。「自民党政治はいつ終わったのか」という座談会です。出席者は元内閣総理大臣中曽根康弘と読売新聞グループ本社会長の渡辺恒夫と司会者御厨貴東大教授です。一九一八年生まれの中曽根氏は現在九一歳です。渡辺氏は一九二六年の生まれですから、中曽根より八歳年下で現在八三歳になるわけです。渡辺氏は正力松太郎の時代から中曽根氏とは懇意の間柄ですから、二人の話はよくもわるくも説得性があります。選挙が間近ですから選挙の話に絞って紹介します。

「渡辺さんが心配しているのは、民主党が政権を握ることへの不安ですか」と御厨氏。

「そうです。特に日米安保を含めた外交・安保保障政策の継続性が保たれるかどうか。民主党にはさまざまなイデオロギーの人が集まっている。アメリカの核の傘のなかにいるからこそ、北朝鮮、中国への抑止力がある。民主党がアメリカの不信を買えば、安全保障だけでなく日本の経済もぐらつく」と渡辺氏。「私も同感だ」と中曽根氏。

「今後、自民党はどのような姿になるのでしょうか。一〇〇議席が減ると言われているなかで、これまで自民党の中枢にいたベテラン議員で当選が危ぶまれている人も多い」と御厨氏。「仮にそうだとしても、後の残った者は、次は俺たちの番だという気持ちになる。自民党にはそういう競争力がある」と中曽根氏。「議席減が一〇〇で収まるなら、自民党は復活する。だが、もし、自民と民主の増減が一五〇というレベルまでに達したら、自民党は半永久的に野党になるだろう。しかし、増減の幅が一〇〇と一五〇の中間に収まるような気がする。すると政界再編成の動きになる」と渡辺氏。

「自民党も民主党も割れるということですか」と御厨氏。「そう。みんな割れてガラガラポンしたらいいと思う」と渡部氏。「一五〇の増減があったら大変にことになります」と中曽根氏。「一五〇だったら自民党は絶望です。中曽根さんがおっしゃったように、一〇〇ならば自民党は復元力を持ち得るでしょうが」と渡部氏。

二〇〇九年八月三〇日

「民主三二〇議席か」朝日新聞

八月三〇日。日曜日。今日は朝から曇りです。「政権選択　きょう投票」「総選挙、未明までに大勢判明」と朝日新聞は一面トップです。先々週は地震が心配でしたが、今度は台風の上陸です。台風一一号は小笠原諸島の東海上を発達しながら進んでおり、東日本の太平洋側は三〇日昼過ぎから風が強まるとのことです。

「午前一〇時時点の投票率は一三・一九％で四年前の総選挙より〇・〇二一ポイントダウン。期日前投票数は一〇九〇万人。一〇・四九％で前回四二一万人の一・六倍」と昼のＮＨＫニュース。投票率のダウンが気になります。

読売新聞朝刊（三面）は「自民党の公示前議席は三〇〇で、公明党の三一議席と合わせて与党全体の議席は三三一。憲法五九条の規定により、参議院で否決された法案を衆院で再否決できる総定数の三分の二（三二〇）を上回る。戦後、一党だけで総定数三分の二を占めたことはない」と解説して、「政党一つで三〇〇議席以上とるのは異常だ」という社民、国民新両党の心配ぶりを紹介しています。つまり、読売新聞は民主一党による三二〇議席獲得もありうることを示唆しているのです。

　そういえば三日前の二七日の朝日朝刊は、自社による総選挙中盤の情勢調査の結果を一面トップで「民主、三二〇議席獲得も」「自民激減一〇〇前後も」と報道していました。それに対して日刊ゲンダイは八月二八日付で「民主党圧勝の選挙予想は謀略の火」と反発しています。そして日刊ゲンダイは翌々日、「民主三〇〇届かず」「民主二九〇議席、自民一三〇議席」と発表しています。

　東京新聞の「こちら特報部」は「民主強気の求人」「日弁連に一〇〇人打診」という読ませる見出しです。「国会法によれば、国が給与を支払う公設秘書は最大三人まで。うち一人は政策担当秘書だ。身分はいずれも国家公務員特別職で、ほかの秘書は私設扱いになる。この最大三人には国会から直接、報酬が支払われる。金額は在職期間や年齢により、政策担当秘書がおよそ年収七〇〇万円から一〇〇〇万円。公務員と同じ通勤、住居、期末、退職手当がつく」と東京新聞。しかし政策担当秘書になるには競争率が一〇倍以上の年一回の資格試験に受かるか、「選考採用審査認定」の選考をうけなければならないという。


　　怒鳴られてばっかりの秘書、議員に頼られっぱなしの秘書。毎夜、上京した地元関係者の会合に追われる秘書。自宅に銃弾を撃ち込まれた秘書もいた。ヤワな神経ではとても務まらない仕事と思う。雪崩の予測の中、彼らの顔を思い浮かべれば複雑な心境にもなるが、きっちり政権選択の一票を投じよう。「デスクメモ」（剛）

ほぼ的中の野上忠興の予測

昨日まとめて買った九月三日号の『週刊新潮』『週刊文春』、四日号の『週刊朝日』、五日号の『週刊現代』から見出しと記事の中身をちょっと紹介します。『週刊新潮』は「特集 気象庁非公認！　当落天気予報」で「みんなが断酒しろというからやっただけと中川昭一前財務相」「小池氏の目下の選挙戦術は風車作戦。逆風をしっかり受け止めて国民のために全てを使い切る風車です！」と二人の危なげな振る舞いを皮肉っています。

『週刊朝日』の「ドン小西のイケてるファッションチェック」はつい惹かれます。「八月三〇日の投開票に賭ける皆さん！　人は見た目が九割？　ご検討祈ります」というその登場人物は太田和美・小泉進次郎・鳩山由紀夫・太田昭宏・森喜朗・片山さつきなど一七人の面々です。

政治評論家の森田実氏は「自民一〇二、公明二六の与野党合計一二八議席。民主三二六など野党合計三四七」と予測しています。もと共同通信社記者の野上忠興は「自民一二三、公明二四の与野党合計一四八。民主三一〇など野党合計三二九」と森田氏と差があります。

『週刊現代』の「全四八〇議席最終当落」は詳細です。接戦区は民主が有利とみての予測は、自民が小選挙区九一＋比例五〇合計一四一、民主が小選挙区一八九＋比例一〇〇の合計二八九という予測。解説記事の中見出しを拾ってみると全体の様子がわかります。「民主三〇〇議席が見えた」「二世候補は粘りがない」「衰退・消滅する自民王国」「与謝野・太田はやっぱりダメ」「森が地元にいるから負ける」「公明候補は近畿でも大苦戦」「麻生首相もたったの二万標差」「民主は比例で九〇議席以上も」

ＮＨＫの開票速報

三〇日。夜八時。ＮＨＫの開票速報の時間になりました。アナウンサーが口を開くなり，出口調査による予測として「民主三〇〇議席、自民一〇〇前後」と発表しました。三〇〇議席がほぼ確定する一一時ぐらいまで修正されることなく予測通りであったのは驚くやらあきれるやら。というのは、ＮＨＫの開票が始まる前に『週刊朝日』九月四日号の東浩紀の「批評するココロ」という連載記事を読んでいたことも関係しています。

その記事は「衆議院予測サイトが示唆する集合知の侮れない実力」というシステムの話です。「今では、特定の条件が整えば限られた情報しかもたず、自分の利益しか考えない〝愚者〟の群れの方が、小数の専門家よりも正しい判断を下せることが証明されつつある」と東浩紀氏は『みんなの意見』は案外正しい』（角川書店）を読むようにすすめています。

一八世紀の近代民主主義とほぼ同時に誕生した投票という方法を二一世紀のネット技術をもって多様に民意を反映させることができないだろうかというのが、このエッセイの趣旨であり、また逆説でもあるように私には思える。

東浩紀氏が注目すべき若手の哲学者であることを知ったのは、ジャック・デリダを論じた『存在論的、郵便論的』という奇妙な書名の本を読んだころからです。すでに二〇〇万ベストセラーの呼び声が高い『ＩＱ８４』（村上春樹著）が発売されてまだ間もない六月の初めに、氏が書いた『ＩＱ８４』に関する論評が私の読後感とかなりの部分で一致していることから親近感をもつようになりました。この時氏の否定的な論評は別にして、今回の分析に『ＩＱ８４』現象と「八月三〇日選挙」に共通する社会現象を見たからです。

国立国会図書館へ

選挙速報の話に戻ります。午後、一一時前後になると、元首相や閣僚経験者や元党三役の落選の報が続々と入ってきます。海部俊樹、中川昭一、山崎拓、久間章生、笹川尭、柳沢伯夫、深谷隆司、島村宜伸の各氏です。しかし、一一時過ぎても派閥領袖クラスや現職大臣の当落がまだ時間がかかりそうなので、テレビを切ってベッドに入りました。現職大臣とは、甘利利明、林幹夫、与謝野馨、野田聖子、佐藤勉、塩谷立です。

また、小選挙区で落選して比例待ちの武部勤、町村信孝、小池百合子、鴨下一郎、中川秀直らも気になります。それに小選挙区一本に絞った公明党幹部の太田昭宏、北側一雄の両氏、新党日本の田中康夫と争っている冬柴鉄三などの動向が気になりベッドに入ってからもなかなか眠れず、睡眠不足のまま朝五時になりました。

六時になっても郵便受けに読売も朝日も入っていません。外は台風の影響でかなり激しく雨が降っています。先週は家の留守番が多くて泳がないこともあり、頭がさえず、何となく呼吸が重く感じられるのです。他紙も買わなければなりせん。近くの区立図書館は月曜で休館日です。しかし昨日から今日にかけて気になることがあったので、都立千駄ヶ谷プール↓国立国会図書館コースに決め、朝八時ちょうど有楽町線の新桜台駅に向かいました。

新桜台駅から副都心線の北参道駅まで快速で二五分です。北参道からＪＲ千駄ヶ谷駅前のプールまで歩いて約七、八分です。しかし千駄ヶ谷プールは休館でした。駅に隣接するコンビニで新聞を買い、ＪＲ市ヶ谷駅で地下鉄有楽町線に乗り換え、永田町で降りて国立国会図書館に着いたのが、開館一〇分前の九時二〇分でした。新聞閲覧室で昭和二〇年の記事をコピーしてから家に帰ったのが午前一一時です。

一時間ほど昼寝をしてから朝刊各紙に目を通し、午後四時ごろ有楽町線新桜台駅の次駅西武池袋線練馬駅の売店で夕刊各紙と日刊ゲンダイと夕刊フジを買いに出ました。夕刊あわせて三一日の新聞を全紙そろえることができました。しかしここでは党派別当選者の内訳だけにとどめます。

〔当日有権者数全国合計一億三九四万九四四二人の投票者数は七二〇一万六五五五人で、棄権者数は三一九二万九七八七人です。男女別投票者率は男性が六九・四六％、女性は六九・一二％です。各党の当選者数は次の通りです〕。

民主	三〇八	（小選挙区）	二二一	（比例区）	八七	選挙前比	（＋一九三）
自民	一一九	（小選挙区）	六四	（比例区）	五五	選挙前比	（－一八一）
公明	二一	（小選挙区）	〇	（比例区）	二一	選挙前比	（＋－〇）

共産	九	（小選挙区）〇	（比例区）九	選挙前比（＋－〇）
社民	七	（小選挙区）三	（比例区）四	選挙前比（＋－〇）
みんな	五	（小選挙区）二	（比例区）三	選挙前比（＋一）
国民新	三	（小選挙区）三	（比例区）〇	選挙前比（＋一）
日本	一	（小選挙区）一	（比例区）〇	選挙前比（＋一）
改革	〇	（小選挙区）〇	（比例区）〇	選挙前比（－一）
諸派	〇	（小選挙区）〇	（比例区）〇	選挙前比（＋－〇）
無所属	六	（小選挙区）六	（比例区）〇	選挙前比（＋－〇）

昭和二〇年（一九四五）八月三〇日の二つの記事

私が昨日から気にかかっていたことで朝目を覚ました時に思いついたこととは何でしょうか。私はこのことに気付いたとき小々興奮しました。そのアイディアとは、「今日から六四年前の昭和二〇年（一九四五）八月三〇日の新聞にはどのようなことが載っているのだろうか」という素朴な関心でした。それで国会図書館に行ってみることにしたのです。そして、「なるほど！やっぱり」と思えるような記事が見つかったら、本書に紹介しようと思い立ったのです。やはり見つかりました。八月三〇日はマッカーサーが厚木飛行場に降り立った日でした。そして、もう一つは作家大田洋子の鮮烈な被爆体験が載っていたのです。大田洋子は一九〇六年（明治三九）に広島で生まれています。マッカーサーの厚木飛行場到着の様子は八月三一日の東京朝日新聞から、大田洋子の被爆体験の記録は八月三〇日の同じ東京朝日から引用します。紙面の都合上、一部省略して紹介させていただきます。（1）が大田洋子のエッセイ、（2）がマッカーサーの到着の記事です。

（1）六日の朝の八時過ぎ、広島市で朝をむかえた人々は、あの夏の朝の不気味な光線の色を未来永劫に忘れことはできないにちがいない。私は母や妹の住んでいる白鳥九軒町の家にいた。去年の一月。東京から体ひとつでかえって来てもっと田舎へ入るつもりが入院などでおくれていた。退院して十一日目であった。前の夜、山口県の宇部が一晩中空襲された。朝になって警戒警報漏れたので、寝床にもぐりこんだ。

疲れ切っていて、とてもよく眠ったようであった。見慣れない珍しく不思議な夢を見たと思った刹那、緑青色の海の底みたいな光線が瞼の上を夢ともうつつともなく流れた。へんな夢を見るのねと思った瞬間、名状し難い強烈な音が起こって、私はからだが粉々に砕け飛び散ったような衝動を受けた。爆弾の地に落ちたダダンという音でもなく、ザザッと雨のようだという焼夷弾の音ともちがい、カチッンという金属的な抵抗しがたい音響だった。一瞬という言葉がこの朝ほど身をもって適切に感じられたことはない。それでも私は二十個とも三十個も焼夷弾が寝床の上に降りかかったのだと思い、きょろきょろとそれを探した。（略）

朝や黄昏など、特に風景の美しかった太田川の下流、私どもが住んでいた町の土手から降りていく河原に火事をさけて過ごした六日、そして七日、八日、その間に見た現実は、この世のほかの絵巻であった。私はそれを凄惨だったと思いたくない。危険と忍耐と純粋な民族感《?》への満ち足りた感情と三日間乞食のように起き伏した短い日、私たちはどんな貴族よりも高い精神のなかに呼吸していた。死骸と並んで寝ることも恐れぬ忍耐の限度も見た。おびただしい人の群れの誰も泣かない。誰も自己の感情を語らない。日本人は敏捷ではないが、極度につつましく真面目だということを、死んで行く人の多い河原に三日間でまざまざと見た。（略）

七日になって河原に来た救護班の手当てを受けた。この日になって昨日の空襲が、新兵器のはじめての使用であったことを聞いた。七日の夜から、八日の朝にかけて、人々はばたばたと倒れた。七日の夜は朝まできれいな東京の言葉で「お父さまァアーいいのよゥ。お帰りあそばせェー」と絶叫しづける若い娘の声が聞こえた。「気が違ったのね」私たちは涙を流しとおした。

新兵器の残忍性を否定することは出来ない。だが、私は精神は兵器によって焼き払う術もないと思った。あの爆弾は戦争を早く止めたい故に、使った側の恥辱である。ドイツが敗北した。ドイツを軽蔑することは出来ない。ドイツを軽蔑することができなかったと同じように、あの新型爆弾というものを尊敬することはできない。広島市の被害は結果的に深く大きいけれど、もし情景が醜悪だったならば、それは相手側の醜悪さである。広島は醜悪ではなかった。むしろ犠牲者の美しさで、戦争の終局を飾ったものと思いたい。（略）

草深い中国山脈の下の田舎の家に、仮りの宿をとったのが、九日の夜からであった。村は冷静でもある。興奮もしている。私は蒼白な顔のまま、河原の露草にねて、傷の痛みに夜を徹した時よりも、きのうきょうの心の重さを見つめている。（「海底のような光」太田洋子、東京朝日新聞、昭和二〇年八月三〇日）

（2）連合国軍最高司令官ダクラス・マッカーサー元帥は三〇日午後二時五分、本土進駐連合軍第一陣を率いて厚木飛行場に到着した。三〇日午前、マッカーサーに先立ち主力と共に本土に乗り込んでいた米第八軍司令官ロバート・アイケルバーガー中将および米第一一空挺師団指揮官ジョセフ・スウイング少将以下米側幹部将校ならびに日米記者団が飛行場の西方の滑走路に設けられた大幕の前でマッカーサーの到着を待つ。南の風が強い。

アイケルバーガー中将は六〇歳位であろうか、頬から顎にかけて深いしわがある。スウイング少将はやや若く空挺隊員の青い制服を身につけ同じく青色の深い鉄兜をかぶっているが、ひどく古びている。関東地区第一次占領区の最高司令官にアイケルバーガー中将が当たり、その下にスウイング少将が特殊任務を帯びて行動するものと解される。

二時過ぎ、東の空に銀色の巨鯨が姿を現した。やはりC54である。二時五分、機は中央滑走路を北から南に着陸した。機首のところに緑色で『バターン』と書いてある。マッカーサー機だ。『バターン』……これはマッカーサー元帥にとりまことに忘れ難い名前であろう。やや暫くして星に標識の入った巨鯨の胴ッ腹から銀色の梯子が下ろされた。

一同が固唾を飲む。やがてマッカーサー元帥が現れた。薄い上着なしのカーキー服に黒眼鏡、其れに大きな竹製のパイプ。南方生活の長い彼としては割合に日焼けせぬ薄赤い頬をしている。六六歳にしては若い。

梯子を下りる前扉のところでややしばらくたたずみ、左右に眼を配って、写真班のためのポーズをつくる。やがて梯子を下りて飛行場の夏草の上に立った。大男である。六尺一、二寸もあろうか。アイケルバーガーが進みでた。「ハロー、ボップ」マッカーサーの声は低く力がある。スウイングも握手を求める。「閣下、豪州でお目にかかった私です。御記憶ですか」。豪州の従軍記者が「閣下、何か記者団に説明を……」と促せば、「メルボルンから東京まで……思えば長かった」マッカーサーの第一声は簡単明瞭だ。

機の側から離れて彼は再びカメラの斉射を受けた。彼の左側に立ったのは例のアイケルバーガー中将、右側に並んだのはマッカーサーに随行してきた参謀総長サザーランド中将（サザーランドはマニラ会談にも出席している）、その次にマッカーサー司令部の通信隊指令エイケン少将、一人おいてスウイング少将と言った順序。カメラマンの包囲がとけるやマッカーサーは第一一空挺隊音楽隊の前に進み出て、簡単な挨拶の後、『米スペシャル』と書いた乗用車に乗った。

車の後に従って二号車に入ったのは、星四つの将官二人——米太平洋戦略隊司令官スパーツ大将と米極東航空隊ケニー大将である。かくて一行は乗用車二五台、トラック一〇台に分乗して戸塚経由横浜に向かった。

マッカーサーが記者団に発表した「メルボルンから東京まで……」の声明の全文は次の通りです。

「メルボルンから東京まで長い道のりだった。長い長い困難な道程だった。しかしこれで万事終わったようだ。各地域における日本軍の降伏は予定通り進捗し、外郭地区においても殆ど終息し、日本軍は続々降伏している。この地区においては日本兵多数が武装を解かれ、それぞれ復員をみた。日本側は非常に誠意をもってことに当たっているようで、降伏は不必要な流血の惨を見ることなく無事完了するであろうことを期待する」

追記

今回の『天皇象徴の日本と〈私〉一九四〇－二〇〇九』の書名は、最後まであれかこれか迷いに迷って決まりました。たとえば、①『天皇を象徴とする日本の戦後と〈私〉』、②『マッカーサーに敗れた国だから……』、③『二〇〇九年』、④『天皇・ヒロシマ・私』⑤『象徴天皇』などですが、肝心の「私」の座りが悪いのです。「私」を除外した書名を考えましたが、焦点がなくバラバラになってしまうのです。

数日後、原稿を一通り読んだという彩流社の塚田敬幸さんに会いました。原稿を渡した時の書名は『象徴天皇の誕生』でした。『天皇象徴の日本と〈私〉』が良いでしょう」と塚田さん。

この前会ったときは「うーん」と唸っていた書名です。私はとてもうれしい気持ちなりました。

「二〇〇九年」を入れたいのですが……」と私。「それなら一九四〇－二〇〇九がいいですよ」と塚田さん。私はそのとき、一瞬、ハッと思いました。「一九四〇年」こそ私が無意識に探していたキーワードだったのです。私は「二〇〇九」ばかりに気がいっていたのです。

「一九四〇」は私の生まれた年です。「一九四〇」を追加することによって全体を包括する「世界・内・存在」を意味する書名となったのです。

＊　＊

二〇〇九年六月四日の早朝、私の友人にして恩人の経済評論家の水沢渓さんが七三歳で亡くなりました。昨年、緊急入院した一〇月二〇日の五日前には八ヶ岳の登山から帰ってきたばかりでした。入院三日後に膵臓ガンのステージⅣと告知されました。

一二月の初めごろ、私は遺稿集を出したいという相談を水沢さんから受け、それから二週間後、書名、目次、著作目録、奥付までそろった原稿のコピーを預かりました。私は毎週、土曜日か日曜日に週刊誌か新刊の気に入りそうなものをもってお見舞いに行っていましたので、状態が良くないことに気がついていました。

預かった原稿から掲載原稿をセレクトするのは、ことの性質上、とても気が重い仕事でした。

今年（二〇〇九）の五月一七日の日曜日、水沢さんの自宅が近いＪＲ日暮里の南口のルノアールで一時間ほど遺稿集の相談をしました。その日が水沢さんとの最後の会合でした。水沢さんのお別れ会は、一〇月三日（土曜日）ルノアールが近いホテルラングウッドで行われ、『水沢渓遺作短編集』はその席上、遺族代表の絢子《あやこ》夫人から渡されました。

水沢さんはとても魅力あふれる人でした。たくさんの友人、知人が集まりました。私はいま「人間が魅力あふれるということは、どのような特徴を持っているのか」と考えています。それは、人が人を恋しく思い、かつその人が人々を愛する能力をもっているからでしょうか。

水沢さんは、亡くなる直前まで函館の再生と復活を願っていました。昨年の五月二二日から二五日にかけて水沢さんに誘われ水沢さんの郷里函館に泊まりました。函館に生まれ東京で育った水沢さんと福岡県田川郡出身の船瀬俊介さんと、東京で生まれ父母の郷里秋田県横手盆地を北流する雄物川のほとりで育った私の三人が、石川啄木一族の墓がある立待岬から津軽海峡を眺めた雲一つない晴れ渡った日のことを私はこの先忘れることはありません。

私は出来上がばかりの『天皇象徴の日本と〈私〉１９４０―２００９』を、魅力あふれる紳士にして友人の水沢渓氏に捧げます。

二〇〇九年一一月

林　順治

第三章　日本人の正体――大王たちのまほろば

◆はじめに

　現在全国には、四万社以上の八幡神社があるとされている。これらは八幡社の祭神は、比売《ひめ》神《かみ》、神功皇后、そして応神天皇です。

　神功皇后は夫の仲哀天皇が亡くなったあと、応神天皇を身籠ったまま朝鮮半島に渡り、三韓征伐を行ったと『日本書紀』は伝えています。神功の凱旋後、筑紫の国で生まれた応神天皇は、長じてヤマトの国を治め、その多くの事績から、のちに神として祀られるようになり、特に武門の神として信仰され、今日に至っています。

　さて、その応神天皇が、百済の王子だったということは、ほとんど知られていません。それは『日本書紀』を作り上げた編纂者によって意図的に隠されたからです。『日本書紀』は元正天皇養老四年（西暦七二〇）に完成しました。神武天皇から持統天皇に至る四一代の天皇たちが「日本」を治めてきたが、美辞麗句を連ねて綴られています。『日本書紀』は、百済から渡来して倭国で大王となったある人物の正体を隠すために編纂された史書であったと言っても過言ではありません。

ところが、いまだに日本の古代史学界は実質、戦前と相変わらぬような歴史解釈、いわゆる皇国史観（ヤマト中心史観）にすがりついており、そのため国際社会における歴史認識に対応できなくなっているのです。この史観とは、「日本の古代国家は、日本列島に古くから居住した単一の民族によってつくられた」というものです。

発掘調査などで見つかった遺物の年代や様式と『日本書紀』の記述には大きな溝があります。それらを無理やり『日本書紀』の歴史に置き換えようと腐心してきたのが、日本の歴史学界といってよいでしょう。

しかしいまや、日本の古代史学界はどうしていいのか途方に暮れてしまった挙句、例えば「箸墓《はしはか》＝卑弥呼の墓」説のようなお祭り騒ぎを起こすことで、自らの立場を何とか維持しようと汲々としています。これら古代史学界の実情は、古墳の実年代や出土物の年代などがこれだけ判明してきているのにもかかわらず、『日本書紀』の記述に基づいてその比定を行っているからにほかなりません。

例えば、日本一大きな古墳と二番目に大きな古墳は、よく知られているように大阪府にある伝仁徳陵（大山古墳）と伝応神陵（誉田山古墳）です。古墳の年代の通説はこの二基の巨大古墳を基準に割り出されています。『日本書紀』の記述によれば、応神天皇は西暦換算で二〇〇年生まれの三一〇年没ですから、仮に寿墓《じゅぼ》（生前につくった墓）であるにしても、二八〇年くらいに造られたことになります。

ところが誉田山古墳の築造の考古学的な通説ですら五世紀中ごろといったところです。この一例からも『日本書紀』をもとに古代史の年代を特定していくことのおかしさがよくわかります。こうした学界の不自然さや停滞状況を吹き払ったのが、在野の歴史研究家石渡信一郎氏です。

一九九〇年代から『応神陵の被葬者はだれか』『蘇我馬子は大王だった』『日本書紀の秘密』『聖徳太子はいなかった』『古代蝦夷と天皇家』『蘇我王朝と天武天皇』（すべて三一書房）などの一連の緻密な著作によって、新旧二つの朝鮮渡来集団による日本古代国家の成立や、アイヌ・エミシの起源を明らかにしてきました。

石渡氏は最新の研究に基づいて誉田山古墳＝五〇〇年築造説を主張し、誉田山古墳の被葬者をその時代に百済から渡来して活躍した百済王子（昆支＝コムキ）である、という説を打ち出しました。

私は石渡氏の著作のほとんどを編集者として担当しました。石渡氏の主要著作は衝撃的でしかも合理的な内容でしたから、古代史書籍としては異例の売り上げで、増刷を重ねました。しかし、考古学・歴史学界は石渡説を完全に無視しました。石渡理論を認めると古代史を根底から書き換えなければならないからです。

また一九九六年（平成八）の夏、韓国のテレビ局ＫＢＳは石渡氏同行のうえ、奈良・大阪・京都など延べ一ヵ月かけて取材し、番組を韓国で放映しましたが、これが韓国国内で大きな反響を呼んだのは言うまでもありません。

しかし日本のマスメディアはこの事実すら完全に黙視しました。本来であれば、日韓古代史を考え直すチャンスであったはずですが、単一民族説とヤマト中心史観で考えることに慣れた学界ナショナリズム集団の姿勢は変わらなかったのです。

仮に石渡説を正しいと思ったにせよ、日本の古代史を「より古く」することに執着している彼らにとって、いまさら軌道修正をすることは恥ずかしく、それに難しいことだったのでしょう。その「より古く」という象徴が奈良県桜井市にある纒向遺跡・箸墓古墳の年代を古く遡らせ、「邪馬台国」畿内説を定着させたことに端的に表れています。

こうした行き場のない古代史学界の閉塞状況において、一陣のさわやかな風を引きこんできました。それは二〇〇一年一二月のことで、しかもその風を吹かせた当の人物は、全く思いがけない存在、日本の皇室の中心である天皇だったのです。

当時、サッカーの日韓ワールドカップ開催を翌年に控えた記者会見で、「私自身としては、桓武天皇の生母が百済武寧王の子孫であること、『続日本紀』に記されていることに、韓国とのゆかりを感じています」と語ったのです。いわゆる「ゆかり発言」と言われています。

桓武の生母高野新笠《たかのにいがさ》の父は和　史乙継《やまとのふひとおとつぐ》、母は百済系渡来集団の土師《はじ》氏の出身です。この父方の和氏の祖先が武寧王の子純陀《じゅんた》太子とされています。「武寧王」とは、本書でも重要な位置を占める百済王ですので、のちの詳述することにします。

こうした発言をあえて行った天皇が、どういう意図であったのか計り知れないところがあります。しかし古代史研究家の一人として、私は「皆さんも尻込みしないでもう少し日本の歴史の成り立ちを自由に考えて欲しい」という意味合いを感じました。

古代史には多くの説があるものの、朝鮮半島の王統（百済・加羅）と日本の大王家との姻戚関係や血縁関係の深いつながりは、否定しようがありません。問題はこの繋がりをどこまで遡行しうるか、名指しできるかというところにあります。

本書では、日本の古代史学界でまだまだ「タブー」となっている「百済から渡来した応神天皇＝百済王子」という石渡説を基にした、いわば「倭韓交差王朝説」をできるかぎりわかりやすく読者の皆さんにお伝えしたいと思います。

本文に先だって予告的に述べますと、石渡氏は蘇我馬子・蝦夷・入鹿といった「蘇我氏」が当時の「大王」であるという説も展開しました。そして「聖徳太子不在説」も石渡理論の功績の一つです。ただその理由などはまだまだ一般に十分に認知されているとは言い難いでしょう。

それでも「聖徳太子はいなかった」という説は、この一〇年で市民権を得るところまでなんとかやってきました。「異説」が「定説」をひっくり返した一つの例です。そのことはおいおい本文で述べたいと思いますが、本書でこれから述べる事実、史実のほとんどは、石渡信一郎氏の一連の研究によってほぼ明らかにされていることです。氏の驚くべき発見の数々がなければ、私はこのような古代史の全貌を知ることができなかったでしょう。

しかしいまだに日本の古代史学界では氏の発見や業績が公的に認知され、かつ論議されている状況とはいえません。一方では、昨今、『日本語の正体』（三五館）など韓国の金容雲氏による本が日本でベストセラーになっているだけに、私は石渡氏が解明した本当の古代史をわかりやすく説明しておく必要と任務を強く感じるのです。

かつて石渡氏は、自分の理論が理解されるのは五〇年、いや一〇〇年かかるかもしれない、と私に語っていたものです。しかしそれでは困るのです。石渡説が発表されてから二〇年も経過しています。一刻もはやく、この石渡古代史の衝撃と体系的合理性を多くの日本人とくに若い世代の人たちに知っていただきたいと思っているのです。

さて本文の進む前に、私の著作を（そして石渡氏の著作も）初めてひも解く方も多いと思われますから、石渡氏と私の出会いを綴りたいと思います。

今から約二〇年前の一九八〇年代の終わりごろ、私はある著者仲間の一人から紹介され、古代史研究家の石渡信一郎氏と山の上ホテルで会いました。氏は都立高校の英語の教師を定年前に退職し、札幌郊外に住んでアイヌの研究をしているということでした。

そのころ私の妻がクリスチャンだったこともあり、プロテスタントとカトリック教会による新共同訳の『聖書』を読み始めていました。私の最大の関心事は神の概念についてでした。いったい人はなぜ神を信じかつ祀るのでしょう。偶像崇拝を否定するユダヤの神は、いわゆる山川草木《さんせんそうぼく》を崇拝する日本の神とは対照的です。モーセのエジプト脱出に協力したユダヤの神は、偶像を造らないという契約のもとにイスラエルの民にカナンの地を約束します。

日本の神とは何か、何が私たちをして山や川や草や木を懐かしくさせるのでしょうか。私は聖書を読みながら日本の神や霊性のことを考えていました。石渡氏と会って五ヵ月ほど経った八月の中旬でした。ふと、書棚に差し込んでいた氏から預かっていた原稿の束が目につきました。

　私はそのとき、日本の神について何か書いてあるような気がして、原稿を急いでめくっていきました。すると終わりの方に、「昆支の神格化・八幡神」という文字列を見て、私の心臓はある強い予感で高鳴っていました。

　いったい「昆支」とはだれのことなのか。私が事の重大性に気がついた日から三日後、石渡氏から私のもとに書籍が送られてきました。のちに『応神陵の被葬者はだれか』の母胎になる原稿が簡易製本（『日本古代国家の成立と百済王朝』）されていました。

◆おわりに

　継体天皇＋加羅系体制の下で編纂された『日本書紀』は、百済から渡来して倭国で王となった昆支の存在を隠すかわりに、蘇我王朝の始祖王昆支（＝倭王武、ヤマトタケル）を能褒野《のぼの》から飛び立つ白鳥（シンボル）として悲劇の英雄に祀り上げました。石渡信一郎氏は、継体王統が「アマテラス」神話を構想した時期を、七世紀末の持統天皇時代以後と推定しています。

持統は加羅系氏族中臣の後裔である藤原不比等の協力のもとに皇祖神アマテラスを伊勢神宮に、応神（昆支＝武）の霊を杵築《きつき》の出雲神社に祀ることを決めたというわけです。氏は『ヤマトタケル伝説と日本古代国家』で次のように書いています。

> 『日本書紀』が、ヤマトタケルが死後に白鳥になって西方に飛び立ったと書いた最大の理由は、陰陽五行思想に基づいて、応神（武・昆支）系王統を五行の金と考え、その敗北を表わすためと思われる。
>
> 陰陽五行思想では、木・火・土・金・水の五行の中の金は、色は白、方位は西にあたる。金は十二支では申（猿）・酉（鳥）・戌（犬）であり、十二支の方位では真西が酉（鳥）である。能褒野で死んだヤマトタケルは、白い鳥（酉）になり、西の方に飛ぶが、これは、『日本書紀』が応神（武・昆支）を五行の金、五色の白、五方の西、十二支の酉とみていることを示している。

天武は壬申の乱において兵士に赤色の標識を着けさせ、「赤旗」をなびかせて戦いました。継体系の天武は、自らの皇統を「火の王統」としたからです（五行の火、五色の赤、五方の南）。天武が朝、川の辺で日神（加羅系アマテル神）を拝んだのは、この戦闘中でした。天武は六八六年に亡くなりましたが、この年の七月に元号を「朱鳥《あかみとり》」に改めているのは象徴的です。「火が金に剋つ」という意味合いを神話にも史実にも反映させているのです。

大化以前から伊勢の渡会《わたらい》では尾張氏と同じ加羅系氏族である渡会氏が太陽神アマテルを祀っていましたが、欽明天皇の時代には昆支の霊も祭るようになりました。しかし加羅系氏族の援護を受けて壬申の乱を制した天武は、伊勢が大和から見て日の出の方向にあたることから、伊勢を崇神の霊アマテルを祀る新しい地として選ぶと同時に、応神（昆支・武）の霊を日沈む国・出雲（西）に移したのです。それがスサノヲです。

なお『日本書紀』に「アマテラスとヤマトノオオクニタマの二神を天皇の宮殿に祭っていたが、アマテラスをトヨスキイリビメに命じて大和の笠縫邑《かさぬいむら》に祭らせた」という話が「崇神紀六年」にみられます。もちろんヤマトノオオクニタマは始祖王。昆支の霊のことであり、別系統の二神の同居がかなわなくなってきた過程を反映しているわけです。

ところで河内の磯長谷《しながだに》に敏達、用明、推古、孝徳、聖徳太子の墓が造られたのは、昆支の霊が出雲に移される前後と推測されます。羽曳野《はびきの》の応神陵から南東に四キロほど離れた二上山西山麓と大和川の合流する石川中流右岸、二上山西山麓に位置する現在の南河内郡太子町の「王陵の谷」は、昆支の霊を出雲に移した天武の「鎮魂の思想」を彷彿とさせます。

天武＝古人大兄は、田村皇子こと舒明を父としますが、馬子の娘法提郎女《ほてのいらつめ》を母としましたので、祖父馬子大王を崇拝しました。馬子は百済系倭王朝の昆支の孫であるばかりか、わが国に仏教を普及した最大の功労者でした。あからさまに馬子復権はできないまでも、大王馬子を聖徳太子として追善し、太子信仰の発展も自由にさせたのです。

法隆寺釈迦三尊像の台座に「相見丐陵面衆識心了」（陵の面に相い見《まみ》えよ。識心《しきしん》の陵了を楽《ねが》う時は）と刻まれていて、その意味は「死者の霊が陵の中に静まることを願うときは、陵の外側で死者の霊と対面せよ」と解釈されています。

法隆寺釈迦三尊像の銘文は天武が天智天皇の暴いた大王馬子の墓（石舞台古墳）を磯長谷の叡福寺太子陵に移して馬子の霊を慰めたということをいやがうえにも物語っています。この叡福寺太子陵参詣の史料が確認できるのは慈円の建久二年（一一九二）が最初と言われており、一一九一年というと源頼朝が鎌倉幕府を開き、鶴岡八幡宮の建立を始める一年前です。

ちなみに源頼信・頼義・義家の源氏三代の墓がある通法寺は、叡福寺太子陵のある王陵の谷に隣接しています。源氏三代の祖源頼信が永承元年（一〇四六）に石清水八幡宮に納めた告文には「父満仲は応神天皇から二二代目である」と書かれています。なお、この告文については、当時、伝応神陵に接して建造された誉田八幡宮に奉られたと言われています。現在日本には一一万の神社があると言われていますが、その半分は八幡神社が占め、その祭神は応神天皇です。

太子信仰による叡福寺への参詣が、末法思想と結びついた浄土信仰の影響が盛んになったころ、その受け皿として四天王寺聖霊院がその機能を果たしました。やがて太子信仰が発展し、四天王寺正門や聖霊院は極楽往生の東門と見なす信仰が勃興しました。

本書をここでお読みになった方にはもうお分かりかと思いますが、『日本書紀』に奇妙なねじれがあるのは。蘇我大王家を隠蔽したい継体系王統（＋加羅系中臣＝藤原氏）の強い意志に対し、この天武・持統系による蘇我大王家への小さな願いが交錯した形をとったから、ともいえるでしょう。

いずれにしても、昆支＝応神の存在についていうならば、現在の私たち日本人が全国津々浦々にある八幡神社で昆支の霊を拝んでいることの意味と不可思議さに気づかなくてはなりません。

＊　＊　＊

この紙面を借りてお世話になった方々に謝辞を申し上げます。まず、出版デジタル化でゆれ動く出版事情のなかで、勇気と情熱をもって本書出版を敢行してくださった三五館の皆さんに感謝します。本書を担当してくれた編集者が唐津市（『魏志倭人伝』記載の末盧国）出身と聞いてビックリしました。というのは二〇〇七年一一月二一日の新聞各紙の「王墓、六三年ぶりに再発見」という記事を見て、一昨年の春、私は唐津市内の一角にある桜馬場跡を見学に行ったからです。

三五館の皆さんに感謝しなければならないことは、もう一つあります。かつて三一書房時代とても懇意にしていた著者であり、友人の故水沢渓さん（昨年、六月四日死去）と、私の長年の友人であり著者の船瀬俊介さんの本をベストセラーにしてくださったことです。

さらにラッキーだったのは、今回の出版にあたってかつての三一書房の才能ある若手の編集者だった中島岳さんが私の原稿をより読みやすくするための編集を手伝ってくれたことです。

これら偶然とも必然ともいえる人と人とのつながりと協力によって本書が完成したことを心から感謝する次第です。

第四章　漱石の秘密――『坊っちゃん』から『心』まで

◆はじめに

漱石とトルストイ

漱石とトルストイは同時代に五歳年上の森鴎外、七歳年上のドストエフスキーがいることにおいて似ている。一八六七年（慶応三）生まれの漱石と一八二八年の生まれのトルストイは三九年の年齢差がある。この約四〇年の違いは同世代とは言えない。しかし長生きしたトルストイは日露戦争（一九〇四―一九〇五）では漱石と時を同じくしている。ちょうどその時トルストイは『思い直せ』を書いて反戦と非暴力を唱え、漱石は『吾輩は猫である』と『坊っちゃん』を書いて作家として登場した。

トルストイの生まれた一八二八年当時の日本は第一一代将軍徳川家斉《いえなり》の時世にあり、ドイツ人医師シーボルトが日本地図を持ち出そうとしたために長崎の出島に幽閉された。いっぽうのロシアは皇帝アレクサンドル一世によるロシア・トルコ戦争（第一回バルカン戦争）が始まった。

漱石が生まれた一八六七年といえば日本は明治維新の前年に当たり坂本龍馬が暗殺され、元年には近藤勇が処刑されている。ロシアは農奴解放宣言が行われてから七年経ち、ドストエフスキーが『罪と罰』を出版した翌年で、トルストイが『戦争と平和』が完成する前年にあたる。

漱石とトルストイは歴史や時代が異なるばかりでない。国も言語も環境も家族も兄弟も子も親の財産も生きた年齢も違う。漱石は五〇歳にならずして死去したが、トルストイは八二歳の時の家出によって孤独死を選んだ。トルストイは頑健であった。漱石は生涯持病の胃潰瘍で苦しんだが、妻鏡子は漱石との間に五人の女子と二人の男子を生み、トルストイの妻ソフィはなんと九人の男子と三人の女子を生んだ。

トルストイの父はピョートル大帝（在位一六八二—一七二五）時代にすでに高名であった貴族を出自とし、大貴族の称号の継承者であるトルストイの母マリアは約八〇〇人の農奴と一〇〇〇ヘクタールのトゥーラ県ヤースナヤ・ポリャーナの領地からなる資産の相続者であった。漱石は崩壊寸前の江戸幕府体制のそれも末端に位置する名主の子であった。ちなみに江戸市街の範囲が一六平方キロメートルとすると、ヤースナヤ・ポリャーナは一〇平方キロメートルで江戸の約六二％を占める広さだ。

トルストイは四人兄弟の末子で妹一人を持ち、漱石は二人の異母姉、四人兄弟の末っ子として生まれた。末っ子であることはトルストイと漱石は似ている。トルストイは二歳未満で母を亡くしたので母親代わりになったのが祖父の妹の娘エルゴーリスカヤという叔母であった。この叔母はトルストイを溺愛した。

一八三七年一月、トルストイの父はヤースナヤ・ポリヤーナをそのままにして子供たちの教育のためモスクワに移住した。この年の六月父ニコライはトゥーラ市の路上で脳卒中のため急死した。トルストイが二四歳の時に書いた最初の作品『わが幼年時代の思い出』は父と母と兄弟に囲まれた一〇歳の誕生日を迎えた少年の平和な一日の物語である。

父が亡くなった翌年祖母が亡くなり、そのまた翌年には莫大な遺産の法廷後見人で父の一番上の妹アレクサンドルの伯爵夫人が亡くなったので、二番目の妹でアレクサンドルより二歳年下のベラーゲヤがいるカザン市に五人の孤児たちは移った。トルストイを可愛がったエルゴースカヤとはその時離別した。

幼少期の成長において金も土地も財産も名誉も関係なく、ただ必要なのはミルク＝乳と母親の愛情であることを考慮に入れるならば、母の愛を受けることが少なかったばかりか保護者としての父の愛情も受けられる機会の少なかったトルストイと漱石はとてもよく似ている。

金之助は生まれて間もなく四谷で古道具を営む夫婦のところに里子に出された。その夏、四谷大通りの夜店の笊《ざる》に入れられている金之助を次姉のふさが懐にいれて実家に連れ帰ったとも、連れ帰ったのはふさではなく長女さわであり、里子に出されたのは八百屋であったという説もある。いずれにせよ金之助は牛込馬場下の実家に戻った。そして翌年一一月今度は内藤新宿の門前名主塩原昌之助の養子に出された。

二歳足らずの養子の金之助はその後、塩原夫婦と一緒に内藤新宿↓浅草三間町↓内藤新宿↓浅草諏訪町と転々としたのち、ふたたび実家の牛込馬場下に戻ったのは九歳の時であった。漱石とトルストイも幼少期に普通あるべき両親の愛情を欠いたことで似ている。しかし、二人の作品は当時もそうだが、のちにも幅広く長く人々に読まれ愛され尊敬された。

　トルストイの『わが幼年時代の思い出』をヘーゲル主義者にして文芸評論家のチェルヌイシェフスキーは「かつてこのような弁証法的小説があるだろうか！　いやない」と激賞したように、その後トルストイは『少年時代』（二六歳）↓『青年時代』（二八歳）↓『ルツェルン』（二九歳）↓『コザック』（三四歳）↓『戦争と平和』（三六歳）↓『アンナ・カレーニナ』（四七歳）↓『復活』（七〇歳）↓『キリスト教と死刑』（八一歳）を書き、最晩年には死刑反対とガンジーの無抵抗主義を提唱した。

　ボリシェビキ（多数派）とメンシェビキ（少数派）が指導するロシア革命が進行する中トルストイの思想と作品に対する評価は大きく二分した。一九一〇年一〇月二八日の早朝家出を敢行したトルストイは一一月九日、自宅から二〇〇キロメートル離れた寒村のアスターポヴァ駅（現、レフ・トルストイ駅）で死去した。

　ボリシェビキ（多数派）の指導者ウラジミール・イリイッチ・レーニン（一八七〇―一九二四）はトルストイの追悼にあたり、「トルストイはロシアの矛盾の鏡であった。世界文芸史上例のない作家である」とその評価を不動のものとした。

フロイトの『モーセと一神教』

広く長くその国の人々に読まれている国民的作家のトルストイと漱石との共通項と相違について、思いつくまま若干トルストイに重きをおきながら語ったが、漱石が国民的作家であるばかりでなく、日本が生んだ世界に通じる作家であり、思想家であることを明らかにするため類比した。

作家たる所以は「あることを書くことによって始まる。その「こと」とは作家にとって最大関心のある「こと」である。その「こと」とは作家の最初の作品に開示されるのが普通だ。開示される「こと」はふつう自伝的な様相を呈する。

トルストイの『わが幼年時代の思い出』がその典型的な例だが、ドストエフスキーの『貧しき人々』、鴎外の訳詩編『於母影』や『ヰタ・セクスアリス』、漱石の『吾輩は猫である』と『坊っちゃん』である。何故なら自伝的作品は作家自身にとって何が最大の関心事であったかを露わにするからである。自伝的作品は過去のある時期、とくに父母と一緒の時期、つまり父母の保護下で成長する時期の幼年期に大きな特徴と魅力がある。

幼少期は無意識の世界であり、不条理の世界でもある。作者（私）によって思われるかつての「私」はいかなる選択も自由もないからである。思われる「私」は国も言語も親も悪い親も選ぶことはできない。しかし今私に思われるかつての私は私の自由になる。作家が「幼少期」

に特定して書くということは無意識の世界を露わにしてその世界を修正し、あるいは書き直す自由を今もっているということである。

漱石の最初の作品は『吾輩は猫である』と『坊っちゃん』であった。漱石は「捨てられた子猫」と「教師になった無鉄砲な少年」を題材とする二つの著作によって一晩のうちに国民的作家になった。

では『吾輩は猫である』と『坊っちゃん』は自伝的であるかというと必ずしもそうではない。そこに漱石の特異性がある。自伝的要素を十分持っている漱石の作品といえば亡くなる一年前の『道草』である。しかしこの作品も「今」のなかに幼少期の記憶を織り交ぜた奇妙な作品である。

『吾輩は猫である』と『坊っちゃん』の冒頭部分と『道草』と『硝子戸の中』の一部を足して漱石の幼少期・少年期を再構成すると漱石の思想と作品がより優れて明らかになる。それには漱石＝金之助の幼少期に受けたトラウマ（傷）を解明しなければならない。金之助の幼少期に何か大きな傷がなければ、『坊っちゃん』の主人公のように「飛び降りられるか」と言われて飛び降り、「切れるか」と言われて切ってみせる少年が生まれるはずがない。

漱石の幼少期の解明に一つの手がかりがある。フロイトの精神分析を用いて漱石の解明に専念した荒正人（一九一三―一九七九）は『増補改訂漱石研究年表』を遺した。荒正人の執念はヒトラーに追われてイギリスで『モーセと一神教』を出版した最晩年のフロイトに似ている。荒正人が九〇〇頁に及ぶ膨大な年表の原稿を死の寸前の枕もとに置いていたのはひとえに漱石の幼少期を明らかにしたいという情熱によるものと私は思う。

私が『モーセと一神教』を知ったのは人文書院から一九八四年に出版された『フロイト著作集』の第一一巻『文学・思想Ⅱ』に収録されている森川俊夫訳「人間モーセと一神教」を読んだ時だから今から二八年前になる。人文書院の『フロイト著作集』に収録された「人間モーセと一神教」は、一九九八年渡辺哲夫氏の訳で日本エデタースクール出版部から出版され、同じ本が二〇〇三年ちくま学芸文庫として出版されてからその内容は広く知られるようになった。

しかし精神分析の創始者としてかつまた神経症の研究で世界的に知られたユダヤ人ジークムント・フロイトは『モーセと一神教』はあまり知られていない。というのはこの本の内容は歴史でもなく精神分析を対象としたものでないために、それぞれ専門分野の研究者や学者の埒外に置かれたからである。「フロイトを語る人はモーセを言及せず、モーセを語る人はフロイトを一顧だにしない」という状態が続いたからだ。

二〇〇一年三月、私は『馬子の墓』という古代史の本を出版した。この本は「新旧二つの朝鮮渡来集団による日本古代国家の成立」を提唱した石渡信一郎説を追いながら私の故郷を語るという七〇〇頁の本であった。この本の冒頭で私は『モーセと一神教』について詳しく紹介した。

フロイトは『モーセと一神教』のなかで、「心的外傷のすべてはおおよそ、五歳までの早期幼年時代に体験される」と書いている。そして「その体験は通常の場合、完全に忘れられている。つまり一定の潜伏期間を経るが、性的・攻撃的内実と相互に結びついて発生する。要するに心的外傷→防衛→神経症発生の経過をたどる」という。『モーセと一神教』の最もわかりやすい箇所を次に引用する。

> 狭い意味での神経症状は、防衛と反復という相反する二種類の努力が一緒に作り上げる妥協的形成物である。幼児期の神経症はふつう防衛が優位を占めるので、中断なしに成人神経症に引き継がれることはまれにしかない。決定的な神経症はその心的外傷に由来しているが、つまり遅れてやってくる。
>
> それは思春期の始まりと同時か、やや後かだ。思春期と同時に始まる場合、防衛の力によって圧倒されていた欲動が肉体的な成熟によって強化され、防衛との戦いを再開することによって神経症が露呈する。
>
> 思春期開始からやや遅れる場合、防衛によって造られた反応と自我変容が、新たな課題の解決にとって妨害に働くことが明らかになる。そこで防衛という戦いを通して苦労して獲得した組織を維持しようとする自我と、現実の外的世界からの要求との間に激しい葛藤が生まれる。早期の心的外傷・防衛・潜伏の発症、抑圧されたものへの回帰は、神経症の典型である。

人類の生活においてもこのような個人の生活における事態と似たことが起こっているとフロイトは考えた。人類の生活でも性的・攻撃的な内容の出来事がまず起こり、それは永続的な結果を残すことになったが、とりあえず防衛され忘却され、長い潜伏期間を通して後発生、すなわち出現するというのである。

私がトルストイと漱石の似ているところと、異なっているところを羅列したのも、フロイトが『モーセと一神教』で述べた「心的外傷→防衛→潜伏→神経症発生」の理論を国民的作家とも言える二人の作家に適用できると考えたからである。二人は「神経症にかかった」というのが私の推測であり、確信である。

トルストイはともあれ、漱石の神経衰弱説はよく知られている。しかし漱石自身神経衰弱にかからない人間の方がおかしいと言っているほどだから、その意味での神経衰弱＝神経症でないことはここでお断りしておく。

フロイトの言う神経症は五歳まで受けた心的外傷がある一定の潜伏期間をおいて思春期（一四、五歳から一六、七歳前後）に発生する病のことである。本書はこのように幼児期に、あるトラウマ（心的外傷）を受けたと想定される夏目金之助が、いつどのようにして作家夏目漱石へと変貌していったかを問う本である。

◆おわりに

謎の人物、関荘一郎

本書の執筆がほぼ「おわりに」に近づいたころ、私は「あること」がはっきりしないのが気になり、手もとにある『吾輩は猫である』の奥付を見てみた。すると自分がもっている岩波版『漱石全集』が初刷（初版）でなく、二刷（再版）であることに気づいて一人苦笑した。

今から七年前の二〇〇三年の暮れごろであった。当時、朝日新聞社発行の『日本の歴史』（新訂増補版・週刊朝日百科、全一二三冊）と『漱石全集』刊行が重なっていたので、池袋西口芳林堂で一緒に予約注文をした。その時だったか、それとも一回目か二回目か思いだせないが、店の人から「池袋店が三一日かぎりで店を閉めるので今後は高田馬場店で受け取って欲しい」と言われ、一週間ほど気分が滅入ったのを覚えている。

岩波書店も朝日新聞社も言ってみれば、漱石によって屋台骨を築いた。岩波書店の創業者岩波茂雄は漱石の『心』で出版業を始め、朝日新聞は主筆の池辺三山がラフカディオ・ハーンの後をついで帝大の英文学教授になる寸前の漱石を専属社員として迎えることによって他社を凌いだ。

岩波も朝日も私がこれから話す「あること」にはあまり関係はないが、こんなことを言うのも出版も新聞も大きく変わりつつあった時期と、池袋西口芳林堂の二〇〇三年の閉店が一緒になって私の記憶に残っているからである。

私の気になった「あること」というのは、岩波版の『漱石全集』別巻の『漱石言行録』に収録されている関荘一郎という人物のことである。別巻は漱石と関係のあった学友、同僚、門下生、文人、親族などが漱石についての感想を語ったり書いたりした正岡子規・狩野亨吉から夏目伸六まで七二人を収録している。別巻の奥付は「第28回配本」「一九九六年　第一刷」「二〇〇四年一二月九日　第二刷」とある。

ちなみに『吾輩は猫である』の奥付は「一九九三年一二月九日第一刷　二〇〇二年四月十日第二刷　第一回配本」とある。つまり私は「一九九三年一二月九日第一刷」ではなく、「二〇〇二年四月十日第二刷」をもっていたことを知ったというわけである。

ところで別巻に収録された七二人のほとんどは別巻「後記」によって漱石との関係が明らだが、たった一人不明なのは「『道草』のモデルと語る記」の関荘一郎である。わからないというより不可思議と言ったほうがよいかもしれない。「『道草』のモデルと語る記」が投じる波紋は大きいはずだ。なぜならこの関壮一郎の投稿記事は文体といい、その内容の成立の記も決して味方とは言えず、具体的であり、漱石にとってきわめて不都合であった。しかもその分量は約二万字（四六判で二五頁）もある。

にもかかわらず関荘一郎だけがその生没も出身地も経歴も漱石との関係がわからないのは何故なのか。別巻の「後記」には「雑誌『新日本』（新日本社）第七巻二号（大正六年〔一九一七〕

一日発行）に掲載。初出には副題「一名　作者夏目漱石先生生たちの記」が伏せられている」と書かれているだけである。

私は『漱石全集』第二八巻「総索引」を調べた。しかし『関荘一郎』という名は載っていない。漱石の全作品・日記・書簡・断片その他の全てを網羅しているはずの「総索引」に「関荘一郎」の名が見つからないということは、記録の上では関荘一郎と漱石の関係はなかったと考えるほかない。ただよくみると、「関」と「関清子」と「籍」は載っている。

「関」は①『心』の私の妹の夫姓、②『それから』に登場する代助の友人平岡の上司に仕える男の姓、③『明暗』の主人公津田の愛人関清子の夫の姓など、いずれも漱石の作品に登場する人物の姓である。「籍」は『道草』の主人公建三の養父塩原昌之助と実父小兵直克との間に起こった金之助の「復籍」をめぐる争いの「籍」をいう。しかし「関」も「関清子」「籍」に気付いたのも「関荘一郎の不在」がわかるようになって少々時間が経ってからであった。

漱石全集別巻『漱石言行録』

その間、私は近くの練馬図書館に電話をしてみた。すると岩波の『漱石全集』（全一七巻）があるという。現物に当ってみると一回り大きい菊判だ。第一巻『吾輩は猫である』の奥付は「昭和四十一年五月一日印刷」で、第一七巻の『索引』は「昭和五十一年四月九日」とある。この件と直接関係がないが、練馬図書館所蔵の漱石全集の著作者名は「夏目漱石」で、私がもっているのは「夏目金之助」であることがわかった。

問題は索引編である。昭和五一年度版（一九七六）の索引は「固有名詞」「語句・事項」「作中人物名」「作品」の四部から構成されているが、「関荘一郎」につながるものはない。帰宅してから岩波書店編集部に電話をかけて聞いてみた。「漱石言行録」に関荘一郎の「『道草のモデルと語る記」を収録したのは九三年度版が初めてであることを知ることができた。

説明が面倒になるので岩波九三年度版の『漱石全集』別巻「漱石言行録」（一九九六年発行）の『月報』からそのまま引用して私の知りえたことを皆さんにお伝えしようと思う。この『月報』も私のものはどこかに行方不明になってしまったので、豊島図書館所蔵の月報をコピーしたものである。ちなみに豊島図書館所蔵の『漱石全集』は初刷であった。

《編集室より》

▼別巻『漱石言行録』を送付します。

▼本年の十二月には漱石没後八十年を迎えます。小社が、三十年前に五度目の新版として『漱石全集』を敢行いたしました時には、小宮豊隆先生、阿倍能成先生など、謦咳に接した門下生がご存命で、実際には月報に思い出をご執筆下さる方もいらっしゃいました。しかし今日、直接漱石を知り、その人なりや言動を伝えて下さる方はほとんど鬼籍に入ってしまわれました。

▼漱石の言行録を残そうという企ては、寺田寅彦が提唱したと伝えらえています。小社から刊行されたいわゆる決定版全集（昭和十年）の月報には、「漱石先生言行録」が十九回にわたって連載され、そのなかの数編が本巻にも採録されています。その『言行録』を始めるに当たって、編者である森田草平は「前がき」で「極言すれば先生を愛していた人々ばかりでなく、先生の味方でなかった人々の話をも収録することにしたい」という「暗示」を寺田寅彦から受けたと述べています。本巻がその意味を込めて、漱石その人をしのぶよすがとなれば幸いです。
▼次回は第二十二巻『書簡　上』で、三月中旬刊行の予定です。

『月報』から、練馬図書館所蔵の岩波書店の『漱石全集』（全一七巻）は五度目のものであり、私がもっている『漱石全集』や豊島図書館所蔵のものは六度目の全集であることもわかったのである。さらにわかったことはこの月報でも「関荘一郎」について何も書かれていないことであった。

　関荘一郎が「『道草』のモデルと語る記」を雑誌『新日本』に発表したのは大正六（一九一七）年の二月の事である。漱石の死去（大正五年一二月九日）から一年二ヵ月経っている。「『道草』のモデルと語る記」によると関荘一郎が静かな勉強部屋を探して田端や神明町辺りを歩いて見つけた下宿は、偶然にも漱石（金之助）の養父塩原昌之助の家（神明町六八番地）であった。その玄関先で関荘一郎に応対したのが品のよい七〇歳前後の御婆さん（かつ子）であった。二人の名前がわかったのは、関荘一郎が移り住んで二〇日ぐらい経ってからのことである。『漱石全集』別巻「漱石言行録」に採録されている関荘一郎の「『道草』のモデルと語る記」から次に引用する。

> ちょうど六月の三日であった。いつもの私のとっている東京朝日新聞をみると、夏目先生の『道草』と云う小説が出ていた。主人公の健三と云うのは、夏目先生であることは無論認識されたが、その客分として出ている島田と云う老人が、どうも下のお爺さんの様に思えて仕方がない。

この約一三〇字の短い文章から、関荘一郎が漱石作品の愛読者か、漱石と面識があった門下生と考えるのが合理的である。実際、お婆さん（かつ子・後妻）は初対面の関荘一郎に向かって「貴郎《あなた》は文士の方では御在いませんか」と尋ねている。

重要な情報は「『道草』のモデルと語る記」の筆者関荘一郎が、『道草』の連載中に塩原昌之助夫妻（お爺さんとお婆さん）と一緒の屋根の下にいたことである。『道草』の連載は大正四年（一九一五）六月三日から九月一四日までである。すると先の引用文中の「ちょうど六月三日の朝であった」というのは、『道草』の連載が始まった一九一五年六月三日と完全に一致している。

ということは、関荘一郎は『道草』の連載が始まる前の一九一五年五月中旬に神明町六八番地の塩原昌之助夫妻が住む家の二階に移り住んだことになる。神明町六八番地は現在の文京区本郷五丁目周辺で北区田端に隣接する地域である。

鷹見安二郎や石川悌二の研究によれば塩原昌之助は天保一〇年（一八三九）一月二二日に生まれ、大正八年（一九一九）九月一九日に亡くなっていることが判明している。いっぽう妻のかつは弘化四年（一八四七）一二月一五日生まれ、大正一二年（一九二三）一〇月一六日になくなっている。

このことから『道草』が始まった一九一五年六月三日の時点での塩原昌之助の年齢は七六歳で、かつ（かつ子）の年齢は六九歳ということになる。二人ともまだ健在であったばかりか、塩原昌之助は漱石死去三年後（八〇歳）、妻かつは七年後（七六歳）で亡くなっている。

もっと驚くような話がある。鷹見安二郎の研究資料については、第一章第二節「江戸から東京へ」で紹介した。しかしこの時点では文脈上この話はしなかった。鷹見の調べによると、大正四年三月二〇日過ぎ塩原昌之助は昌之助の兄小出治吉の次男秋男を養子にしたことを伝えるために漱石の留守宅を訪ねている。『道草』の連載が始まる三ヵ月前のことである。このことは荒正人の『増補改訂版漱石研究年表』にも載っている。この時期、漱石は津田青楓の招きで三月一九日から四月一七日まで約一ヵ月間京都に滞在している。

漱石は三月二五日に帰京する予定だったが、胃痛のため帰京を延ばした。また、その日は異母姉高田ふさが脳溢血で倒れたという電報をもらった日でもあった。しかし、帰京すれば漱石の命が保障できないという医師の注意もあり、予約した寝台車を取り消した。三日後の三月二八日高田ふさは亡くなった。四月一日には妻鏡子が漱石を迎えに京都まで来ている。

このように漱石の不在中に塩原昌之助が訪問し、姉ふさが死去している。その間、鏡子は塩原昌之助の来訪に対応し、ふさの葬式にも出席している。ふさが亡くなった三日後に鏡子は京都で漱石に会っているから、当然、ふさの葬式のことや塩原昌之助が養子を連れて来宅したことを報告しているはずである。

鷹見安二郎の塩原昌之助が養子小出秋男を連れての大正四年三月二〇日過ぎの漱石宅訪問は確かな情報である。鷹見は台東区役所で見つけた塩原昌之助の「下谷西町」の戸籍をたどって、塩原昌之助が大正八年九月一九日本郷区駒込東片町一四番地（現在の文京区向丘一丁目）で没したことを調べた。また、静岡市東草深町一丁目二四番地の小出秋男を養子にした日が大正四年三月二〇日であることも知ることができた。しかも塩原家の菩提寺が新宿区須賀町一〇の宗福寺であることから小出秋男の現住所が静岡市小鹿町であることも判明した。

鷹見安二郎は静岡在住の秋男を訪ね、秋男から塩原昌之助と一緒に漱石の早稲田南町にある自宅に訪れたことも聞いたのである。また、秋男から「昌之助には敬次郎という兄がいて、敬次郎は若くして旗本小出家を継いだが、明治維新による徳川宗家の静岡移封によって静岡に移り、その子治吉の二男が秋男である」ことも聞いたのである。

話を関荘一郎のことに戻す。塩原昌之助夫妻宅に下宿した大正四年当時の関荘一郎の年齢だが、『漱石全集』別巻言行録の「『道草』のモデルと語る記」から知ることはできない。関荘一郎が漱石を先生と呼んでいることから、関の生まれた年を明治憲法が成立した明治二二年前後として当時二七歳ぐらいと想定することができる。この推理はまったく根拠がないわけではない。

何故なら関荘一郎が「『道草』のモデルと語る記」の最後で、「私は何時か先生にあって、詳しい話をしてみようと思っているうちに先生はもう帰らぬ人となられてしまった。何だか残念で残念で堪らない気がする」と書いているからである。この書き方は二人の関係が三四郎と広田先生か、あるいは『心』の先生と〈私〉に似ている。

漱石の伝記的研究で著名な荒正人、江藤淳、石川悌二、平岡敏夫、佐藤泰正らも関荘一郎の「『道草』のモデルと語る記」を取り上げている。しかしこの五人も関荘一郎については何も語っていない。漱石伝記の実証的研究において追随をゆるさない石川悌二さえもその著書『夏目漱石』で参考文献と関荘一郎の名を記しているだけである。荒正人も『増補改訂研究年表』に大正六年の項に関荘一郎の発表記事を載せているが、関荘一郎本人について知っていたか語ったかは今の時点ではわからない。

不思議なのは当時漱石門下でもっとも信頼され、かつ漱石の身近にいた小宮豊隆は伝記『夏目漱石』で関荘一郎の「『道草』のモデルと語る記」に触れていないことである。鏡子夫人が『漱石の思い出』で何も語っていないのは理解できるにしても、小宮豊隆は研究者であり、伝記作家である。「『道草』のモデルと語る記」が雑誌『新日本』に掲載されたのは大正六年二月だから漱石に関する資料収集に熱心な小宮豊隆がこの記事を知らないはずはない。

いずれにしてもこのような事情なので、私は国立国会図書館のマイクロフィッシュに保存されている雑誌『新日本』に当たることにした。新しい発見はなかったが、二段組の約一一頁の記事のなか二枚の写真が挿入されていることがわかった。最初の一枚は側面から撮った塩原昌之助の家である。写真のキャプションに「白山坂上漱石先生の養父塩原昌之助の侘住居《わびずまい》」とある。

もう一枚は「最近の塩原カツ子」というキャプションだが、写真が不鮮明で「かつ」の表情はまったくわからない。女物の草履と男用の下駄が二足並んだ土間と玄関から居間に通じる半開きになった障子に寄り掛かるような「かつ」の姿が写っている。キャプションについてはまだ若干の説明を要するので後の述べることにする。雑誌『新日本』のマイクロフィッシュを借り出す途中で、関荘一郎に次のような著作と広告があることがわかった。

『後の多情多恨』関荘一郎、雄文堂、大正元年十月（国立国会図書館近代デジタルライブラリー）

『後の多情多恨』（広告）、読売新聞、一九一三年（大正二）二月一八日（都立中央図書館）

『内治外交わが家の顧問』中山三郎・関荘一郎共著、共同出版、大正九年（国立国会図書館近代ライブラリー）

『内治外交わが家の顧問』（広告）、東京朝日新聞、一九〇二〇年（大正九）一二月一七日（国立国会図書館新聞閲覧室）

「彼は狂人ではない」関荘一郎、「新公論」大正一〇年七月号（マイクロフィッシュ）
『能楽今昔物語』関荘一郎、岡沢文信堂、昭和九年（国立国会図書館近代デジタルライブラリー）

近代デジタルライブラリーの部屋ではレファレンス係の人が、大正時代の文芸年鑑、紳士録、その他の資料も調べてくれたが、関荘一郎の名前はみつからない。また、関荘一郎のデジタル資料も「まえがき」「あとがき」「奥付」を中心に一通りみたが手掛かりがはまったくない。帰宅してから近代文学館に電話で問い合わせたがわからないという返事だ。

翌日、国会図書館で調べたデータを一枚の表にして広尾の都立中央図書館の相談係のYさんに渡した。Yさんには「大田達人」（漱石の一高時代の友人、旧制秋田高校、横手高校の校長）に関する資料のことで助けてもらったからだ。そしてYさんが見つけてくれたのが関荘一郎の著作『後の多情多恨』の読売新聞に掲載された広告文である。

◎後の多情多恨（関荘一郎著）「後の何」と「終編何」と有名な小説を依倚したる著作、近来甚だ多し。本書もまたその一つにして、例の紅葉山人の傑作に後日譚つけたるものなるが、著者は十年前に「多情多恨」をよみたる時より、常に柳之助とお種の其の後の運命を考え居り、止みがたき好奇心は遂に自ら之を書かんと思ひ立らしめたるなりといへば、決して彼の一夜ヅケの類に在らざること明けし。行分の遠く紅葉が妙境に達せざるは言ふまでもなければ、「多情多恨」を愛読したるものは、又この書を愛読するの義務あるべきなり（菊判紙装三百三十四頁価九十五銭神田区五軒町十八有信堂）

関荘一郎の『後の多情多恨』が出版されたのは大正元年（一九一二）一二月で、その広告が読売新聞に掲載されたのが大正二年二月一八日だから出版されて一ヵ月後に広告されている。読売新聞広告には「著者（関荘一郎）は一〇年前に『多情多恨』を読んで書く気持ちが起こった」とあることから、明治三五年前後に関荘一郎は『多情多恨』を読んだことになる。尾崎紅葉は『多情多恨』を読売新聞に発表したのは明治二九年（一八九六）二月だ。関荘一郎はおそらく単行本で読んだのだろう。

漱石と同じ慶応三年一月生まれの尾崎紅葉には府立一中の同期生の幸田露伴、沢柳政太郎、狩野亨吉らの同期生がいる。紅葉は明治二一年帝国大学政治学科から国文科に転科し、翌年退学して読売新聞に入社した。読売新聞では『伽羅枕』『三人妻』『多情多恨』に続いて『金色夜叉』（明治三〇年）を発表し、新聞小説によって一大流行作家となった。

いってみれば紅葉は新聞作家としては漱石の大先輩になる。おそらく漱石は新聞小説による読者への影響力がいかに大きいか気がついていたにちがいない。実際、熊本五高の教授時代に妻鏡子に『金色夜叉』が連載されている読売新聞を送るように頼んでいる。

関荘一郎が紅葉の影響を受けていることは読売新聞掲載の広告からも明らかである。読売新聞に関荘一郎の『後の多情多恨』の広告が載った時期にあたる明治四五年一月二日から四月二九日まで『彼岸過迄』、大正元年一二月六日から翌大正二年四月七日まで『行人』が連載された。しかし漱石の病気のため連載は一時中断、九月一八日から再開されその年（一九一三）の一二月一五日に『行人』は終了しているので、『後の多情多恨』の広告は『行人』の連載中ということになる。

私が読売新聞を気にするのは、漱石が東京朝日への入社を決定する前に門下生の一人であった滝田樗陰《ちょういん》（一八八二—一九二五年。秋田県出身、中央公論社編集として活躍）を通じて当時の読売新聞社の主筆竹越三叉から専属作家になるよう申し出があったからだ。「一日一欄か二欄書き、月給は六〇円」という条件であったが漱石はそれを断った。この話はよく知られたエピソードだが、朝日新聞社員牧村健一郎の『新聞記者夏目漱石』（平凡社新書、二〇〇五年）に詳しい。

当時、読売新聞社の文芸記者だった正宗白鳥が竹越三叉の命で漱石宅を訪れたが、うまくいかなかったことを回想している。正宗白鳥も明治四〇年には読売新聞を退社して本格的に作家活動に入っている。

当初私は「『道草』のモデルと語る記」の関荘一郎が正宗白鳥のペンネームか偽名ではないか、あるいはもしかしたら読売新聞社が密かに送った取材記者ではないかと想像したりした。『吾輩は猫である』と『坊っちゃん』で有名になった漱石の獲得に「国民」「報知」「読売」「朝日」の各新聞社は互いに競っていたからである。

しかし正宗白鳥は『道草』を除いて漱石の作品を高く評価しなかったし、あまり好きでもなかったから、「『道草』のモデルと語る記」の関荘一郎のように漱石を「先生」と呼んだり、門下生のような関係でもなかった。また『後の多情多恨』や『内治外交わが家の顧問』のような著作もない。私の関荘一郎＝正宗白鳥説はトンデモ説と結論に達した。もしかしたら晩年東京市本郷区根津片町（現・東京都文京区根津）に住んでいた滝田樗陰配下の作家志望の新聞記者の可能性も捨てきれない。当時滝田樗陰は多くの新人作家を発掘し、文壇にデビューさせたからである。

ところで雑誌『新日本』の「『道草』のモデルと語る記」に挿入された二枚の写真のうちのキャプション「白山坂上漱石先生の養父塩原昌之助の侘住居」に話を戻す。私はこの写真をうかつにも筆者関荘一郎が下宿した「神明町六八番地」の住居と早とちりした。しかし、文区本郷駒込五丁目周辺で北区田端に隣接する「神明町六八番地」と「白山坂上」とは明らかに場所が異なる。

「神明町六八番地」は『道草』が連載されていた当時の塩原夫妻の家であり、「白山坂上」は関荘一郎が雑誌『新日本』に「『道草』のモデルと語る記」を発表した大正六年二月前後の家である。「白山坂上」は漱石が朝日新聞社に入社したころ千駄木町から転居した本郷片町一〇番地に近い東北方向一帯の東片町一四番地になる。

わかりやすく整理すると、漱石がロンドン留学から帰ってきてからの住まいの変遷は千駄木町五七番地（明治三六年三月）→本郷片町一〇番地（明治三九年一二月）→牛込区早稲田南町七番地（明治四〇年九月）であり、いっぽうの塩原昌之助は下谷西町→神明町六番地→白山坂上となる（お断りしておかなければならないが、鷹見安二郎の『道草』――続漱石の養父塩原昌之助――によると昌之助は明治三八年二月に下谷西町から駒込東片町に転居している。すると関荘一郎の神明町六番地の下宿は虚構の可能性があるということだ。しかしここでは鷹見の話しを本当のこととして進める）。

　ロンドンから帰ってきた『道草』の主人公健三＝漱石はこの千駄木の家と勤務先の帝大を往来していたが、ある日、根津権現の裏門の坂を上ってくる塩原昌之助と出会っている。関荘一郎が言うように塩原夫妻が「神明町六番地」（現・文京区本駒込五丁目）に住んでいたとすれば、不忍《しのばず》通り沿いに南に坂を下って千駄木二丁目の信号を右折すると根津裏門坂になるので、千駄木の漱石の家は神明町から案外近い。

　塩原夫婦が晩年神明町六番地から引っ越した東片町一四番地（白山坂上＝向丘一丁目）は、かつて漱石が住んだ西方町一〇番地の北方七〇〇メートルのところにある。現在の向丘一丁目九番地か本駒込一丁目一番地の周辺、浅草寿町・池袋駅東口間を走る都バスの白山上で下車したあたりになる。地下鉄だと南北線本駒込駅の南西二〇〇メートル、都営三田線白山駅から旧白山と通りの坂（楽師坂）を北東に二〇〇メートルほど上ったあたりになるから本郷通を経て「千駄木五番地」も近い。

　漱石が千駄木から転居した本郷西方町一〇番地は福山藩主阿倍家の中屋敷であった。江戸時代は武家屋敷の城下町では片側だけが武家屋敷で町屋がなかったので「片側だけの町＝片町」

と呼ばれた。明治時代になって西側も西方町と呼ばれるようになり、元々の片町であった東片町は向丘になり、西方町だけが残った。三四郎が広田先生の引っ越しを手伝った場所は本郷西方町一〇番地（現・文京区西方町一丁目一二番地）である。「『道草』のモデルと語る記」をあらためて丁寧に読み返すと最後の方に次のような箇所がある。

> 「私はそれを思うと、ほんとうに口惜しくなってならない。あんなに面倒になった恩もなにも忘れてしまって、仇か何ぞの様に、貴郎《あなた》を悪者に書くなんて——なにお爺さん、関《かま》はないから金ちゃんへ懸合いに行ってらっしゃい」と、お婆さんはそばからお爺さんの気を誘《そそ》るような調子で言った。
>
> 「うん、近いうちにきっと行って来やう」とお爺さんもこう言ったが、なかなか先生に行ったらしい様子はなかった。その後私は事情があって、この老夫婦と別れたが、何でも本郷東片町の琴平神社の横町に、悲惨な生活をしていると云うことは聞いている。たぶん夏目先生の存命中には、老人は同家を訪ねて行かなかったろうと思われる。

引用文からわかるように関荘一郎が神明町六八番地の下宿を引き払ったのち、塩原夫妻は本郷片町の琴平神社のある横町に引っ越したことになる。私（筆者）はそこが写真の「白山坂上」にあったという琴平神社をまだ確認していない。

ただわかったことは「『道草』のモデルと語る記」に掲載された二枚の写真が、『道草』連載当時関荘一郎が下宿した神明町六番地＝文京区本駒込五丁目周辺の家ではなく、塩原昌之助の棲家である東片町＝向丘一丁目周辺にあった家の写真であったことである。すると『新日本』に掲載された写真は塩原昌之助が神明町六八番地から東片町の琴平神社近くに転居したことを知っていなければ撮れない写真である。

何故ならば写真は『道草』連載当時（大正四年）のものではなく、大正六年二月前後に撮られた写真であるからだ。また引用文では、漱石を訪問するように妻かつに勧められた昌之助が「うん、ちかいうちにきっと行ってこよう」とうなずいているが、既述したように昌之助は『道草』の連載が始まる三ヵ月前に養子を連れて漱石を訪れている。この時昌之助が訪れた漱石の家は牛込区早稲田南町七番地にあったことはいうまでもない。

さて、紙面の都合もあるので、私の現在時点の結論のようなものを提示しておこうと思う。「関荘一郎」という筆者名はアナグラム（anagram）を用いたペンネームか偽名ではなかったかと推理する。アナグラムとは言葉遊びに一つで、単語または文の中の文字をいくつか入れ替えることによって全く別の意味にさせる遊びである。『吾輩は猫である』（六）に主人珍野苦沙弥と迷亭と東風と寒月が「詩」の話をする次のような場面がある。

「先達ても私の友人で送籍と云う男が一夜という短編を書きましたが、誰が読んでも朦朧として取り留めがつかないので、当人に遭って篤《とく》と主意のある所を糺《ただ》してみたのですが当人はそんな事は知らないよと云って取り合わないのです。まったく其辺が詩人の特色かと思ひます」と。「詩人かもしれないが随分妙な男ですね」と主人。（中略）「馬鹿だよ」と単簡に送籍君を打ち留めた。東風君はこれ丈ではまだ弁じ足りない。「送籍が吾々仲間のうちでも取除《とりの》けですが、私の詩もどうか心持ち其気で読んで頂きたいので。ことに御注意を願い度《たい》のはからき此世と、あまき口付けと対《つい》を取った所が私の苦心です」

ここでは送籍＝漱石であることは明らかである。漱石は明治三七年一一月から『吾輩は猫である』を書き始め、三八年から九年にかけて『倫敦塔』→『カーライル博物館』→『幻影の宿』→『琴のそら音』→『一夜』を発表し、三九年三月中旬に『坊っちゃん』を書き始め『ホトトギス』（四月号）に発表している。

「送籍」は意味としては明治二五年（一八九二）四月五日付で金之助＝漱石が北海道に分籍・移籍した「送籍」につながる。漱石の徴兵忌避説や神経衰弱説はよく知られている。しかし漱石のいわゆる神経衰弱はロンドンから帰ってから『吾輩は猫である』を書き始めるころまでピークであった。最近の本では水川隆夫の『夏目漱石と戦争』（平凡社新書、二〇一〇年）は徴兵忌避説である。作家の丸谷才一は徴兵忌避を原因とする神経衰弱説である。

丸谷才一は、鏡子夫人が『漱石の思い出』で「序《ついで》ながら申し上げておきますが、この後（明治二一年の復籍）四五年経って、夏目が北海道後志国岩内村浅岡仁三郎方へ送籍いたしまして、一時北海道平民ということになっていたことです」と語ったことを取り上げ、『心』の先生の自殺と作家漱石の兵役忌避の因果関係を興味深く推理している。ちなみに漱石が北海道から東京牛込早稲田南町七番地に籍を移したのは大正三年（一九一四）六月二日のことである。

　私がここで言いたいことは「送籍」は「籍送」のアナグラムであるということだ。確かに『吾輩は猫である』では東風が弁じたあと、猫の主人珍野苦沙弥先生が「大和魂！と新聞屋が云う。大和魂！と掏摸《すり》云う。大和魂が一躍して海を渡った。英国では大和魂の演説をする。独逸では大和魂の芝居をする」と詩とも演説とも言えない自分が作った名文を読む。とらえようによって反戦詩と言えないこともない。

「送籍」が「籍送」のアナグラムであれば「関荘一郎」の「関荘」が「荘関＝漱石」のアナグラムが成り立つ。この際、「関荘」＋「一郎」は「太郎」でも「次郎」でも「三郎」でもよい。Xの関荘一郎は漱石作品の愛読者か一時期漱石の門下生であった。

　しかしもう一つ気になることがある。漱石の『彼岸過迄』（明治四五年一月二日〜四月二九日）の主人公田川敬太郎の友人に須永市蔵という大学の同級生がいる。須永市蔵の出生の秘密は自分が幼い時にすでに亡くなった父と小間使の間にできた子であり、母は実母ではなく継母であり、血のつながったいとこだと思っていた千代子は継母の姪であったことである。この話は漱石＝金之助の養子時代のかつの連れ子れんとの関係を彷彿させるので、須永市蔵のアナグラムは「荘一」と考えられないこともない。

　したがって関荘一郎は『吾輩は猫である』の「送籍」や『それから』や『彼岸過迄』の須永市蔵、『心』や『明暗』の「関」を熟知していた。それゆえ関荘一郎は最初の作品『後の多情多恨』を「関荘一郎」のペンネームで発表した。『後の多情多恨』が出版された時期を考慮に入れると、『吾輩は猫である』と『彼岸過迄』の影響は大きい。

「『道草』のモデルと語る記」の場合はその中身の信憑性も問われかねない。また漱石の親族やファンや信奉者から糾弾されないともかぎらない。かといって塩原昌之助夫妻の話も全部がウソではない。真実と思えるところもある。だから関荘一郎が「私は何時か先生に会って、詳しい話をしてみようと思っているうちに先生はもう帰らぬ人となられてしまった」と残念がったのは本当の気持ちであったろう。しかし未だに関荘一郎の正体は謎である。

第五章　あっぱれ啄木──『あこがれ』から『悲しき玩具』まで

「あっぱれ＝天晴」はあはれの急呼、天晴は当字、驚嘆するに発する声。──手塚太郎、首取りて義仲の前に来たり。「声は、坂東声にて候ひつる」と申しければ、木曽殿、「あっぱれ斎藤別当であるござんめれ、それならば義仲が上野《かうづけ》へこえたりし時、をさな目に見しかば、しらがのかすをなりしぞ」（平家物語：巻七実盛）

（『大言海』大槻文彦より）

◆はじめに

ゴーゴリと啄木

啄木とロシアの文豪ニコライ・ゴーゴリは望郷の作家という点において似ている。二人は今現在でも読むものに「ある」と「ない」、「喪失と発見」、「想像と現実」など人間存在の本質を問いかける詩人であり、作家である。啄木はその歌において、ゴーゴリは物語によって天才である。中間子論でノーベル賞をもらった物理学者湯川秀樹もゴーゴリと啄木が好きで二人を共通の天才と認めてはばからない。

しかしこの二人の天才は必ずしも作家として歌人として功成り名を遂げて豊かで幸福な生活を送ったかというと、けっしてそうではない。「天才というものはそのようなものだ」といってしまえばそれまでだが、ゴーゴリは狂気のうちに、啄木は結核を患った末、死んだ。

ゴーゴリは四三歳、啄木は二六歳と二ヵ月である。ここで付け加えておかなければならないのは、この二人の不幸は思想と政治と社会に深い関係があったことである。世の中が悪いから不幸になったと言うのではない。世の中の不幸と滑稽をよく表現したから天才になったのだ。いみじくもゴーゴリは「自分の顔が醜いのに、鏡に怒って何になる」と語っている。

ゴーゴリの死はただ事ではない。暗殺されたのではない。プーシキンやレールモントフのように決闘で死んだのでもない。悶死したのだ。ただ狂って死んだのではない。断食して死んだのである。『死せる魂』の続編をうまく書くことができなかったからである。

ロシアの文豪ドストエフスキーは晩年の『作家の日記』で「私たちはみんなゴーゴリの外套の中から出てきた」と書いている。そのドストエフスキーもロシアの偉大なる文芸評論家にしてヘーゲル主義者のヴィッサリオン・ベリンスキーによって処女作『貧しき人々』を激賞され作家となった。

当時、ロシアの思想家・文芸評論家のほとんどはヘーゲル主義者であったが、すでにニコライ・チュルヌイシェフスキーやニコライ・ドブロリューボフのようなマルクスを理解する思想家があとに続いていた。そんな中、ドストエフスキーは、三一歳のときベリンスキーの「ゴーゴリへの手紙」を社会主義者のある集会で朗読した罪でペテロパブロフスク要塞に拘禁され銃殺刑を言い渡された。

　というのは、ベリンスキーが『死せる魂』の続編を書けなくなったゴーゴリを叱咤激励した手紙の中にギリシャ正教会を批判する内容の文章があったからだ。しかしドストエフスキーは減刑され命は助かった。ドストエフスキーの持病の癲癇《てんかん》の発作はその時以来と言われている。ベリンスキーの『ゴーゴリへの手紙』は、文学とは何か、誰のために書くのかなど政治と文学の本質にかかわる問題を投げかけている。

　ベリンスキーはゴーゴリに祖国ロシアに帰り国民の課題である農奴制絶滅のために民衆に尽くすように呼びかけたが、ゴーゴリはエルサレム巡礼に宗教的な救済を求めた。ついにゴーゴリは狂信的神父マトヴェイ・コンスタンチンシノフスキーのもとで『死せる魂』の第二部の原稿を一切焼却して神父の指示による断食を始め、それが命とりとなって一〇日後に亡くなった。

　ゴーゴリは民衆の心を描いたが、ゴーゴリの心は逆に民衆から離れていった。ベリンスキーはゴーゴリの著作から民衆というものを知り、ゴーゴリにその民衆に奉仕することを主張したが、ゴーゴリは土足で追いかけてくる民衆を想像し恐れおののいた。そのことがゴーゴリの神経をいっそう痛めた。

　ゴーゴリは文学の根底に秘められた政治との葛藤から宗教に逃避した。宗教や思想がいかなるものであっても、もはやゴーゴリを責めるべきはなかった。ゴーゴリはただ自分が愛し、軽蔑し、笑い飛ばす民衆やタラス・ブーリバ（ウクライナのコザック隊長）のような豪傑を書いたにすぎない。

ゴーゴリの自分がそこから抜け出して眺めたその抜け殻は、かつて自分がその中にいた世界だが、今はそこに自分がいない世界だからこそゴーゴリはその抜け殻の中に戻ることは不可能であった。

小説を書こう思ってうまく書けずに苦しんだ啄木は、晩年のゴーゴリに似ている。しかし歌なら啄木は一晩にやすやすと五〇首も作った。小説を書かなったのではない。書いたが評価されなかった。また、ベリンスキーのように文学の本質にかかわる視点から啄木の歌を評価できる優れた文芸評論家が啄木の周辺にいなかった。

ゴーゴリは中学生のころから戯曲や物語を書いた。作家志望なら当然のいくつかの失敗をしたが、二二歳のとき『ディカニーカ近郷夜話』は「ロシアの導き星」と崇められた詩人アレクサンドル・プーシキンに評価され一躍文壇の人となった。

詩人から短編作家への転身を軽々とやり遂げたプーシキンのゴーゴリの評価は確かなものであった。故郷ウクライナに伝わる民話に題材を求めた民族色あふれるロシア民衆の多種多様な物語はまるで千夜一夜のようにベリンスキーやプーシキンを驚嘆させた。

優れた詩人や作家の最初の作品がその作家の出自と現在を露わにするという法則があるならば、『ディカニーカ近郷夜話』はゴーゴリが冷酷で巨大な帝国のペテルブルグの夜から故郷のウクライナを描くことに成功した稀有な作品であった。望郷とはかつてあった世界を今はない世界から描くことだからである。

酷寒の釧路から作家になるため上京した啄木には森鷗外や与謝野鉄幹、北原白秋や若山牧水など友人がいたが、持参した小説の評価は芳しくなかった。生前に出版された歌集は一九歳のときの「あこがれ」と死去する一年半前の明治四三年の一二月に出版した『一握の砂』だけだった。

大逆事件後に啄木は「はてしなき議論の後」など六編を雑誌「創作」に発表し、これに「家」「飛行機」を加えた『呼子と口笛』を纏めたが、啄木の生前には本が出なかった。友人土岐善麿（哀果）の尽力で東雲堂から第二歌集『悲しき玩具』が出版されたが、啄木の死後二ヵ月後であった。しかし啄木は直近のローマ字日記を含む多くの日記と小説・評論と書簡類を遺した。

啄木の日記と書簡は啄木の天才を知る宝庫である。啄木が渋民で小学校教師をしながら書いた『雲は天才である』は未完に終わったが、渋民→函館→小樽→札幌→釧路→東京へと移動した約一年半を啄木は日記と書簡によって、『雲は天才である』の続きを地《じ》で突き進んだ。

新聞記者を辞めて釧路から東京に向かう決意をする前後の激した啄木の日記は、ゴーゴリの『狂人日記』を思わせる。小樽・釧路における啄木の才能は十分に発揮され、ジャーナリストとして合格であった。文才と教養に加え、むしろ政治的組織能力さえいかんなく発揮している。のちに友人宮崎郁雨は啄木の構想の大きさと弁舌をもってすれば、小さな借金などせず大会社の社長になることが可能だったろうと回想している。

ところで『狂人日記』はゴーゴリが二五歳のとき（一八三〇年）に発表された中編小説であ

る。その年、ゴーゴリは中編小説『タラス・ブーリバ』『肖像画』『ネフスキー通り』『鼻』などの傑作を発表している。『狂人日記』や『鼻』が晩年の自分を予告しているのは、この天才作家が自己に対する予知能力の面においていかに優れていたかを証明している。

『死せる魂』を焼き捨てて狂死したゴーゴリは、『狂人日記』の主人公ポプリシチーンにそっくりだからだ。役所に勤める四二歳の九等官が長官の娘に一目惚れしてついに自分がスペイン国王フェルナンド王と思うようになる。そしてポプリシチーンは「人は人間の頭脳は頭の中にあると思いこんでいるが、全然ちがう。人間の頭脳はカスピ海の方から風に吹かれてやってくるのだ」とつぶやき、三週間以上も休んでいた役所に冗談半分にでかける。

　椅子の下に隠れるポプリシチーンはすでに精神病院に入れられたことさえ気がつかない。そのことがわからないポプリシチーンが絶叫する最後は痛ましい。ゴーゴリが狂死したのもちょうどポプリシチーンの四二歳に一年プラスした年齢であるからだ。

「いっぽうは海、もう一方にはイタリア、それ、ロシアの百姓家が見えている。遠くに青く見えているのはわが家ではないか？　窓辺に座っているのはお袋じゃないか？　おっ母さん、この哀れな息子を救ってください！　この痛い頭に、せめて一滴、涙をそそいでください！　この哀れな孤児を抱きとってください！　広い世の中に身のおきどころがないんです！　みんなが追いかけてくるんです！……。お母さん、この病気の息子を憐れんで下さい！……ところでアルジェリアの総督の鼻の下に瘤があるのを知っていますかね？」（横田瑞穂訳）。

　不思議なことにゴーゴリが書いた『狂人日記』の主人公四二歳のポプリシチーンはローマ字

日記を書いたころの二五歳当時の啄木に似ている。おそらくゴーゴリも二五歳のときに矢つぎ早に傑作を発表して一流の作家として登場はしたものの、迫りくる政治的大きな不安が『狂人日記』に反映されたのかもしれない。三年後にもっとも頼りにしていたプーシキンが、進歩思想を嫌った宮廷貴族たちの策謀によって決闘で死んでいる。

啄木はジャーナリストとして父母や妻子を食べさせていくことができた筈である。釧路新聞の発行部数も自分の力でぐんとのびた。しかし啄木は仕事に飽きてくる。そして三月一八日「今日も休む。今日から改めて不平病。…… 〝さらば〟啄木は林中の鳥なり。風に随って樹梢に移る。予はもと一個のコスモポリタンの徒、乃ち風に乗じて天蓋に去らんとす」と釧路を去ることを決意する。

問題は金と健康だけだ。しかし最大の課題は小説を書き、名をなすことである。自分の構想する小説さえうまく書きあげることができるならば、自分はもとより経済的にも精神的にも妻も子も母も父も満足させることができる。しかし上京後の啄木は小説を書いても認められず自殺まで考えるようになる。夜な夜な性のはけ口を求めて浅草に出かける。帰宅しては頭をかきむしり反省の日記をローマ字で綴る。

啄木のローマ字日記は、『幼年時代の思い出』を出版する二四歳ころのトルストイの日記に似ている。トルストイは日記に自分の品行を○×△の印をつけたという。しかしトルストイは『幼年時代の思い出』を書くことによってそれまでの放蕩と決別した。啄木も本当の小説を書くことによって繰り返す自己の不健康な生活と決別しようとしたに違いない。

藤村の『破壊』や漱石の『猫』を読んで「革命がない、偉大さがない」と言った啄木のことである。幸徳秋水らの死刑の記事を見て、「日本は駄目だ！」と絶句した啄木は、おそらくトルストイの『戦争と平和』に負けずとも劣らない「国家と不幸」の物語を構想したのかもしれない。しかし、案の定、啄木は健康に恵まれなかった。

ちょうど老いたる母からの手紙を読んだ後に啄木は「新しき都の基礎」と題して次のような詩を作っている。「やがて世界の戦は来らん！　フェニックスの如き空中軍艦が空に群れて、その下のあらゆる都府が毀《こわ》たれん　戦は長く続かん！　人々は半ば骨となるならん！　しかる後、哀れ、しかる後、我等の新しき都はいずこに建つべきか？」と。

あたかもまるで広島・長崎の原爆を予告しているかのようだ。ゴーゴリは『狂人日記』によって自己の運命を予知したが、啄木は「ローマ字日記」によって自分の死の間近いことを予知し、かつ明治国家の行く末も予告したのである。

＊　＊　＊

湯川秀樹と聞き役市川亀久彌《きくや》の対談集『天才の世界』の中に次のよう場面がある。

市川――（ゴーゴリ）の臨終のことばにおもしろいものがあります。彼はその期におよんで「はしご！　はやくはしごを！」といって息絶えたんだそうですね。おそらく、その時、彼は頭のなかで、何かをみておったにちがいない。（中略）。私はこの大天才の最期の頭の中に、描かれたはずの幻覚に、あるいは幻想というものに、いい知れぬ悲劇性を感じるんですよ。

湯川――なにか、死にものぐるいで逃れるという感じで、なにから逃れるのかと、やっぱり、現実でしょうね。現実から逃れる。

市川――この前の啄木の場合にも同じことをいいましたけれど，なんらかの意味で時代に先んじるために、その感受性の鋭さが、当人の立場から申しますと、逆にみずからをしめつける。

湯川――べつに意図的に啄木の次にゴーゴリをやったわけではないのですけれど、ゴーゴリと啄木というのは、ずいぶん共通したものをもっておりましてね。おそらく啄木はゴーゴリの影響をある程度うけているんじゃないでしょうか。というのは、ゴーゴリの作品は、わりあい早くからいくつか訳されておりますね。たしかに二葉亭四迷がなにか訳している。その後、訳はそうたくさんないでしょうけれども、わたくしは啄木とゴーゴリに非常な類似性を感じますね。

市川――なにかしらその才能ゆえによる、悲劇性のパターンが似ているようですね。

湯川――でしょうね。啄木は最後には何かアナーキズムみたいなものに、ひかれていきますね。ゴーゴリのほうは、最後は、非常に反動的になったといわれていて、ちょっとおかしいのだけれども、そのときには、もう正気じゃないんですから……。しかし啄木も社会と歴史とかについて、そんなに現実認識が深かったとはいえないんじゃないかなあ。

物理学者湯川秀樹と聞き役の市川亀久彌の対談の一端を紹介したが、市川氏は湯川秀樹に啄木の一番気に入った歌を上げてほしいと言うと、湯川は間髪いれず、「命なき砂の悲しさよ……」と答えている。その理由を湯川秀樹は次のように語っている。

世界というのは、人間だけの世界ではなく、その背後には、ほかの動物があり、植物があり、石もあり、山も川もある。あるいは地球以外の星もある。そういう世界に住んでいるわけですね。そうすると、そこに命のないものもたくさんあるわけです。人間もまた逆にいうと、命のない物質からできていて、たまたまそれが命ある人間らしきものになっているけれども、そういう人間というものが、人生のいろいろな体験をする。

私などはどう感ずるかというと「やはりいのちなき砂のかなしさよ、さらさらと、握れば指のあひだより落つ」という感じが非常に実感に近いわけやね。とくに物理学のような学問をやっておりまして、そういう自然の法則とか、素粒子とはなんであるかということを探究しておりますと、そういうものはつかもうとしてなかなかつかめぬ。握ったつもりでおったものが、指の間からさらさらと落ちていく。これは何度でも経験することですね。

◆おわりに

東日本大震災

二〇一一年三月一一日（金曜日）の大地震のことを忘れることはできない。この日午前九時と午後一時から二回にわけてＮＨＫの参議院決算委員会の放映が計八時間予定されていた。ふつう決算委員会は予算委員会とちがって放映されることは少ない。

しかし四日前の三月七日、外国人からの政治献金問題で前原外務大臣が辞任したばかりか、九日菅首相がパチンコ店を経営する在日韓国人から計一〇四万円を受け取っていたことが明らかになった。自民・公明・みんなの党協力による辞任を求める動きに菅首相は窮地にたっていた。

執拗に攻める自民党議員と対する菅首相の質疑応答は午前中から延々と続いた。自民との野上浩太郎（参議院議員、富山）の質疑が終わり、関連質問者の岡田弘（参議院議員、茨城）がパネルを示して「子ども支援」の質問を始める。厚生労働大臣細川律夫（衆議院議員、埼玉三区）が自分の席に戻ろうとしたそのとき、午後二時四六分、「緊急地震速報」の警報が鳴り響いた。

第一委員会室の議員は総立ちになって天井を仰いだ。頭上のシャンデリアが左右上下に激しく揺れ、今にも落下しそうだ。議員の何人かは机や椅子にすがりつき移動しようとするがままならない。菅首相は着席したまま茫然としている。

その表情と緩慢な動作は見る者に一瞬よからぬ印象をいだかせる。当時、菅政権は「消費税と社会福祉の一体化」や「尖閣諸島中国漁船衝突事件」（二〇一〇・九・七）など内政・外交の不手際で、国民の支持率が急激に落ちていたからである（事実、三ヵ月後の福島原発対応が急務のなか、二〇一一年六月一日、三党による不信任案が提出されている）。

まもなくテレビは都心高層ビルの大きく揺れる映像から地震発生地に近い大船渡港や釜石港の様子に切りかわった。何分経ったろうか。釜石港の防波堤の付近に白波が立ち湾内の船がぐるぐる回っている。なぜか二隻の中型の漁船が湾外に向かってスピードをあげている。一千トンクラスの観光船が一隻傾きながら迂回している。しばらくすると釜石港近辺に駐車した車が何百台もまるでオモチャのように押し流される。

映像がかわってコールタールのように真っ黒な塊となった津波が、車や船や真っ赤に燃える家をのせて数キロ幅で田畑を押し舐めて突進していく。前方に見えるのは東北本線の線路のようだ。名取か松島から上陸した津波だろうか。……

＊　＊　＊

あの日から一年と五ヵ月経った二〇一二年八月七日（火曜日）、朝日新聞朝刊に「明治三陸

地震　惨状刻む」というタイトルで、今から一一六年前の大津波の写真が杉並区天沼の区立郷土博物館分館で展示されるという記事が出た。三陸大海嘯《だいかいしょう》と呼ばれる明治二九年（一八九六）の大津波は二万七一一二人の死者と被害家屋八八九一戸をもたらした。

新聞によると、天沼博物館の「発見された明治三陸津波の古写真」は杉並区在住の古写真収集家石黒敬章さんが、亡くなった父石黒敬七さんから引き継いだ多くのコレクションの一つ明治期の写真家中島待乳《まつち》（一八五〇―一九三八）の写真台帳のなかに明治二九年の三陸大津波の写真四八枚がみつかり、今回、うち遺体の写真二枚をのぞく四五枚を展示するのだという。

明治二九年（一八九六）六月一五日の三陸大津波は、漱石が熊本五高（現、熊本大学）の交友会雑誌『竜南会雑誌』（明治二九年一〇月）に、「人生」と題して津波に関するエッセイを寄稿したことを『漱石の秘密』を執筆中に知りえたこともあり、私にとって関心があった。

また岡田喜秋著の『人生の旅人・啄木』（二〇一二年刊）で啄木が盛岡中学三年（明治三三年）の夏休みに富田小一郎先生の引率で同級生仲間六人と気仙沼、高田町、大船渡、三陸町、釜石の一〇日間の旅行をしたことも知った。

そしてまた啄木の〝いのちなき砂のかなしさよ、さらさらと握れば指の間より落つ〟を記念する高田松原の歌碑も、平成二三年（二〇一一）三月の大津波でたった一本の松の木を残して何万本の松林と共に失われたという。ちなみにこの歌碑は金田一京助の筆跡で昭和四一年（一九六六）に建立されたものであった。

＊　＊　＊

新聞記事を見た翌日、私は区立練馬図書館から『石川啄木全集』（全八巻、筑摩書房）を借りていたので、その返却をかねて杉並の区立天沼博物館に行ってみることにした。入場は無料とある。練馬駅のバスターミナル荻窪駅行きのバスに乗り、ＪＲ荻窪駅北口前を走る青梅街道から八幡通りに入り、二五〇メートル北進して神社前を左折すると博物館のある天沼弁天公園がある。

読者の皆さんにお伝えしたいのは、館内で上映されている津波襲来時の記録動画のことである。迂闊《うかつ》にもこの日は四〇センチ四方のスチール製のボックスの上に「閲覧」というファイルに気がつかないまま二階の展示室に上がった。そこでは年配の女性が一人、大型テレビの津波襲来らしき動画に見入っていた。

私は最前列の椅子に座ってその動画を見ていたが、動画と展示物「明治二九年の三陸大津波の写真コレクション」との関係がはっきりしないせいか、なんとなく落ち着かない。先の女性もいなくって私が一人だ。

一階に下りて受付の男性に聞いてみると、ビデオの上映は四五分ごとに繰り返しているという。五Ｗ一Ｈ（いつ・どこで・だれが・なにを・なぜ・どのように）を欠落した私はまた二階に上がり、映像の始まりに戻ったらわかるだろうとその動画を見続けた。ときおり「ああ！」とか「おう！」という感嘆に入り混じった声が聞こえる。

私はその津波襲来時の映像に言い知れぬ衝撃を受けて帰宅したのち、妻にぜひビデオをみることをすすめた。翌日、妻と一緒に九時過ぎに天沼博物館の展示室に入った。すでに映像が始まっていたが、妻と私の二人だけである。妻は室内の展示物を一通り見たのち二列目の椅子に座るや、背後から件《くだん》のファイルの「閲覧」を私に手渡した。

みるとそれは津波襲来を撮影するにいたるまでの経緯を詳細に説明したものであった。実は展示チラシの裏頁の中ほどに「なお、三月一一日当日、釜石両石《りょういし》町内会会長の瀬戸元氏が撮影した東日本大震災による三陸津波襲来時の貴重な映像を併せて上映します」とあった。私は自分のそそかしさに一人苦笑した。

この津波襲来の映像は長年の経験をつんだ瀬戸さんの用意周到な準備によるものであることがわかった。「閲覧」によると、瀬戸さんの信条は「地元の地震は地元の人が語るべきもの」であった。大地震二日前の三月九日の午前一一時四五分に震源地牡鹿半島沖一六〇キロのＭ七・三の地震があったので、翌日、瀬戸さんは記録用ビデオカメラのテープ五時間分と一〇時間は持つバッテリー二個、そして充電したデジタルカメラを用意した。

大津波襲来の日の一一日午後二時頃、午前中に作った潮位計（ビニールパイプに一〇センチごとの目盛を記したもの）を高台の自宅から見える桟橋の先端に取り付けようと腹這いになっているとき、突然大きな揺れがあった。地震特有の三角波が目の前で起き、あたかも小魚が飛び跳ねるように海面が海の方へ大きく動いた。

ちなみに三角波とは、進む方向が異なる二つ以上の波が重なり合ってできる、三角状の波高の高い波のことである。波の峯はとがっている。経験豊富な船乗りでもこの波を恐れるという。

大津波を直観した瀬戸さんは、急いでバイクに乗って二ヵ月前に用意しておいた漁村センターの自主防災室の無線拡声器で要援護者（身体不自由な人、病人、身体の動かない老人）に津波襲来を知らせ、高台の避難所に三〇分内に避難するように連絡した。町民は地震発生から三〇分以内に避難が完了することが周知させられていた。

避難所はＪＲ両石駅に近い約三〇メートルの高台にある公園にあった。金網で周囲を張り巡らした公園から眼下に両石湾が一望できる。瀬戸さんが避難所に着いたのが三時五分だという。瀬戸さんが公園に近い自宅に用意してあった撮影器具一式を以って高台避難所で撮影を開始したのはその前後だろう。

「閲覧」からこれらの事情を知った私は、急いで階下に降りて受付の男性にファイルをコピーできないかと頼んだ。断れるのはわかっていた。事務室から担当者らしき若い女性が現れた。一〇分ほどの話し合いの末、撮影者の瀬戸元さんに連絡をとってその結果をいずれ私に連絡するということで私と妻は天沼博物館を後にした。

両石駅は、盛岡駅から宮古駅を経由して釜石駅までを結ぶ東日本旅客鉄道（ＪＲ東日本）の鉄道路線の駅の一つである。釜石→両石→鵜住舞《うすまい》→大槌→吉里吉里《きりきり》（井上久の小説『吉里吉里人』でも知られる）の各駅を停車して宮古に至る。現在は釜石・宮古間は運転休止状態である。

両石湾は太平洋に口を開く典型的なV字型の小湾であるため、町は明治二九年と昭和八年の大津波で集落のほとんどが壊滅的な被害を受けている。明治二九年の大津波では人口の八五％、八二〇名の犠牲者がでたという。平成二三年（二〇一一）の津波でも二三〇世帯のうち二一五軒が流失し、人口六〇〇人中、犠牲者四五人（うち行方不明二七人）の被害がでている。

映像の開始は金網に囲まれた公園に集まった数十人の避難者と海水が底まで見えるほど引けた両石湾と五〇隻前後の漁船であった。それからけたたましいサイレンの音と同時に湾内の海水は渦巻ながらみるみる膨れ上がっていった。私が映像で見たのは第一波の津波で家屋流失が六五％、それが第二波で九五％に達し、一〇メートルの防波堤が海に流され逆戻りする家屋や船や車の粉々に砕け散る滝と化す凄まじい光景であった。

妻と一緒に訪れた三日後の八月一二日（日曜日）の午前九時ごろ、天沼郷土博物館の女性から両石湾の瀬戸さんに直接電話をして欲しいという連絡があった。教えてもらった電話番号にすぐ連絡したが不在、昼近くまた電話を入れると瀬戸さんが電話に出た。私は単刀直入、現地（瀬戸さんの住まいの近く）に伺いたいが、ご都合はどうか尋ねた。

夕刻まで何回かのやりとりがあり、八月二八日（火曜日）から二九日（水曜日）まで滞在し、その間、瀬戸さんが被災地に案内してくれるという。ホテルは釜石市内に決めた。二九日は吉浜（大船渡市三陸町）まで連れていってくれるという。啄木一行が明治三三年の夏休みに訪れたという宗洞宗正寿院門前の供養塔を見ることができるかもしれない。

* * *

読者の皆さんには、現地のことや、瀬戸さんから聞いた話をお伝えするべきですが、時間と紙面に限りがありますので、この辺でお別れしなければなりません。

しかし、愛する村や家々が一瞬のうちにして海の藻屑となる光景を目の当たりに撮影された瀬戸さんの驚くべき映像は、今後さらに公開される機会が増え、いずれ皆さんの目にふれ、もっと多くの人に知られ語られることでしょう。多くの犠牲者、多くの行方不明者の「絶叫」を忘れないためにも……。そう思えば私も安心の一呼吸がつけるというものです。

なお、校了間際に加筆・修正を容認してくれた論創社社長の森下紀夫さんにお礼を申し上げます。また拙著『漱石の秘密』と同じように本書の出版を即決してくださり、かつ自由に書かせていただいたことに深く感謝いたします。

二〇二二年八月二五日

著者

第六章　古代七つの金石文――日本古代成立の正体を知る

◆はじめに

歴史の真実とは

これから語ろうとする日本古代史の全貌を秘めた七つの金石文のことを思うと、不思議としかあるいは奇跡としか言いようがない。どれもこれも探して見つかったものではなく、偶然に見つかったものばかりである。最初に見つけたのは農夫であったり、配管工夫であったり、瓦《かわら》用粘土を掘る人であった。

しかしほんとうは偶然だったのだろうか。偶然が必然の対語《たいご》であり、事の起こりを事前に予期することのできない無知に類似するものであるとしても、見つかるべきものが見つかったと言えるのではないだろうか。

七つの金石文がもし然るべき運命に導かれて発見されたものであるならば、歴史の真実は深く重いほど驚異的な力によってその姿をいま生きている私たちの前に現わすために隠れていたのだと考えざるをえない。

たしかに石上《いそのかみ》神宮の七支刀《しちしとう》は神宝として伝世されてきたものだし、稲荷山鉄剣は考古学者斎藤忠を中心とする学術調査によって発掘されたものだ。しかし博士は当初それが有銘鉄剣であるとは夢にも思っていなかった。鉄剣に刻まれた一一五文字の発見も出土一〇年後の錆び落としのためのレントゲン撮影時の一女子研究員によるものであった。

七つの金石文のうち七支刀をのぞく六つがそろいもそろって土中から見つかり、武寧《ぶねい》王陵墓誌と稲荷山鉄剣は盗掘されることなく修理中の古墳から出土し、船氏王後《ふなしおうご》墓誌は大和川左岸の松岳山《まつおかやま》古墳群から人知れず持ち去られ、いったんは羽曳野《はびきの》の西琳寺におさまった。好太王《こうたいおう》碑と多賀城碑は城跡の草叢《くさむら》から出土し、隅田《すだ》八幡鏡は紀ノ川右岸の粘土採掘場に埋まっていた石の唐櫃《からと》の中にあった。

七つの金石文のうち七支刀、好太王碑、隅田八幡鏡、武寧王墓誌、稲荷山鉄剣には時の大王(王)の名が刻まれている。年代順にその大王の名をあげると、倭王旨《し》、広開土《こうかいど》王、日十《そか》大王、斯麻《しま》＝武寧《ぶねい》王、獲加多支鹵《わかたける》大王である。このように時の大王の名が歴然と刻まれた金石文が偶然の発見であったとしてすまされるだろうか。

現在、七支刀は奈良県天理の石上《いそのかみ》神宮に保存され、好太王碑は世界文化遺産に指定された中国吉林省集安市街にあり、隅田八幡鏡の実物は東京国立博物館に国宝として展示され、武寧王陵の遺物は出土地に近い韓国忠清南道公州市熊津洞の国立公州博物館、稲荷山鉄剣は埼玉県行田市埼玉《さきたま》の埼玉《さきたま》古墳群のなかの「埼玉県立史跡の博物館」に国宝として展示されている。

してみると、東京都中央区日本橋室町の（財）三井記念美術館に保存管理されている船氏王後墓誌（国宝）と宮城県多賀城市大字市川の多賀城址内の多賀城碑（国の重要文化財）をふくめ七つの金石文の二つは中国と韓国にあり、残り五つは日本にあることになる。

この七つの金石文の優れているのは五W一H（だれが、いつ、どこで、なぜ、なんのため、どうしたのか）がほぼ完全にそろっていることである。特に大王（王）名のある五つの金石文は、その「だれか」が刻まれた時点におけるその国の治世者であるからだ。

これら倭王旨から獲加多支鹵大王までの五人の王は激動の五胡十六国時代をふくむ西暦三五〇年から五五〇年までの約二〇〇年間の中国東北部から朝鮮半島の高句麗・百済・新羅、そして日本（倭）に実在した大王と想定されている。「想定されている」というのは、好太王と武寧王の実在と年代は証明されているが、隅田八幡鏡は五〇三年の癸未《きび》年か四四三年の癸未年なのか、稲荷山鉄剣は五三一年の辛亥《しんがい》年か四七一年の辛亥年か解決していない。

しかし隅田八幡鏡銘文には日十大王のほかに男弟王《をほど》と斯麻《しま》という王名のキーワードがあり、銘文の「男弟王」は『日本書紀』の和風諡号「大迹王《をほど》」、『古事記』の「袁本杼《をほど》」と斯麻は「記紀」との一致がみられ、日十大王の実在が特定できれば五つの金石文に記された大王（王）たちの驚くべき相互の関係が浮かび上がってくるはずであった。

＊　＊　＊

一九九〇年二月、在野の古代史研究家の石渡信一郎は『応神陵の被葬者はだれか』を出版した。この本で「新旧二つの加羅系と百済系の朝鮮人渡来集団によって日本古代国家が建国された」と提唱した石渡氏は、そのもっとも有力な物的証拠（考古学資料）の一つとして隅田八幡鏡をとりあげた。

石渡氏は隅田八幡鏡の銘文に刻まれた「日十大王」を百済から渡来した百済蓋鹵《こうろ》王（在位四五五―四七五）の弟で左賢王の昆支《こむき》とし、昆支は「記紀」には応神として書かれ、『宋書』倭国伝に書かれた倭の五王「讃・珍・済・興・武」の「武」と同一人物であると特定し、「日十大王」の「日十」を「ソカ」（日下・早）と読んだ。倭王武は「東加羅（ソカラ・スカラ）大王」とも呼ばれたからである。

さらに氏は隅田八幡鏡の「男弟王」が「日十大王」の弟の継体天皇と同一人物であり、百済武寧王が昆支の子であることも解明した。したがって癸未年は五〇三年であり、昆支＝倭王武であれば雄略天皇は架空であり、仁徳から武烈天皇までの一〇人の天皇はフィクションであり、稲荷山鉄剣銘文の辛亥年は五三一年であることを立証したのである。

石渡氏の隅田八幡鏡銘文の解読によって、倭王旨《し》から獲加多支鹵大王までの日本古代史の実態が明らかになった。氏のマスターキーをもってすれば日十大王の時代に百済の武寧王から男弟王（継体）に贈られた癸未年鏡（隅田八幡鏡）が、どうして一三三一年後の天保五年

（一八三四）に紀ノ川左岸の粘土採掘場から出土した唐櫃《からと》の中にあったのか、その秘密に迫ることさえできるのである。

なぜならこの鏡は「記紀」に書かれた世界とは正反対の古代王権の「年代・王名・場所」を露わにしているだけに、隠されなければならず、そして現れなければならない運命にあった。であればこそ〝歴史の真実は現れるために隠れている〟と認識せざるをえず、また〝隠されているもので現れないものはない〟という教訓があらためて想起させられるのである。

しかし本書は隅田八幡鏡のみの物語ではない。〝似たる共通の運命をもつ七つの金石文〟によって日本古代史のいかなる驚くべき秘密が明らかされたのか、皆さんにお伝えしたいがために書いた本であることをご理解いただければ幸いである。

◆おわりに

「記紀」の終りと始まり

日本古代史の本が売れなくなった。書き手も編集者もあまりにも長い間「記紀」（『古事記』と『日本書紀』）に依存し、慣れ親しんできたからである。通説を論理的に乗り越えた本が出ても難しいからわからないと言われ、でなければ「記紀」の迷路に入り込み動きがとれなくなるか、あるいはあれかこれかのトンデモ本の類に落ちこむ。書き手や編集者がそんな具合だから、一般の読者にもだんだん飽きられてくる。

歴史の本にかぎらず、著者も編集者も主たる関心は自分の書いた本や担当した本が書店にならんでいるか、売れるかどうか、近いうちに新聞や雑誌にしかるべき紹介されるかもしれないという期待感につきる。このようなことを言う私も、長年、編集者として働き、現在は書き手として多くの書店を見て回った経験から話をしているのでご理解いただければ幸いである。

新旧二つの朝鮮人渡来集団による日本古代国家の成立をテーマにした在野の古代史研究者石渡信一郎氏の手による『応神陵の被葬者はだれか』（一九九〇年二月）から労使紛争に端を発した社のロックアウトまで、私は氏の一二冊の本の編集に携《たずさわ》った。その都度、新聞・雑誌・週刊誌、古代史関係の然るべき研究者に書評用として献本をした本の数は延べ数百冊は越える。しかし私の知るかぎり紹介記事は皆無であった。

著者や担当編集者に知己の紹介者がいなかったからと言えばそれまでだが、本そのものがもっている内容の難解さが原因かもしれない。したがって市販の古代史本に参考文献として載ることもなかった。私は恨《うら》み言《ごと》を言っているのではない。これから述べることからもご理解いただけると思っている。

社のロックアウトが始まった一九九八年末の翌年六月、私の勤める会社に近い歴史関係の老舗Y社から聖徳太子不在説をテーマにした『〈聖徳太子〉の誕生』が出版され、たちまちベストセラーになった。ところがわが社ではその七年前の一九九二年二月に『蘇我蝦夷は天皇だった』の普及版として『聖徳太子はいなかった』（三一書房新書、一九九二年二月）を出版していた。この本は『〈聖徳太子〉の誕生』が出版される一九九九年まで、合計一万六〇〇〇部（初版八〇〇〇刷、五刷）に達していた。中小出版社としてはそれ相当の売れ行きであった。

　編集者の感覚から言えば准教授クラスの研究者が自分の執筆するテーマに類似する出版物に目を通しておくのは常識であり、そうであれば最低一行ほどの紹介記事があってしかるべきだろうということである。しかし、当時、紛争がもっとも加熱していたときなので、私にはそのようなことを考える余裕はまったくなかった。

　続いて二〇〇一年一月と八月発行の古代史の専門雑誌『東アジアの古代文化』（大和書房）で「聖徳太子と日本書紀」（一〇二号）、「聖徳太子の謎にせまる」（一〇四号）と題して特集が組まれた。もちろん著者大山誠一氏の「太子不在（架空）論」がきっかけとなった特集だが、梅原猛・黒岩重吾から上田正昭・直木孝次郎・考古学者の白石太一郎ら総勢二〇人を超える学者・作家たちによる聖徳太子論である。

　言ってみればこの太子論は、明治から大正にかけて四〇年も続いたいわゆる「法隆寺再建非再建論争」の平成版太子実在論非実在論であった。しかし法隆寺再建非再建論争は若草伽藍の発掘によって少数派で再建論者喜田貞吉等の正解で決着がついたが、平成版は多数派工作によって「聖徳太子はいなかったが、厩戸《うまやと》王は実在した」という奇妙な妥協案で幕切れとなった。この特集号二冊のなかにも石渡説を見ることができなかった。

　ちょうどそのころわが社では『蘇我大王家と飛鳥』と同時発売で『応神陵の被葬者はだれか』

の増補改訂新版として、『百済から渡来した応神天皇』を出版した。この本は韓国でも二〇〇二年に翻訳されたが、私の編集者としての最後の本となった。

ちなみに韓国で翻訳される前の一九九六年八月、韓国のテレビ局KBSは石渡氏同行のうえ三〇日間の奈良・大阪・京都の取材を敢行し、韓国国内でその年の暮れから翌年にかけて二回にわたって放映し大きな反響を呼んだ。私は一古代史に対するジャーナリズムの日・韓の姿勢の違いに驚く。

先に「私は恨み言を言っているのではない」とお断りしたのは、このような事情も背景にしているからである。今日的状況で韓国のジャーナリズムの姿勢をいかようにも解釈することができる。しかし韓国は石渡説を新聞・テレビ・出版で広く自国民に知らせている。もし、韓国の報道が偏向していると指摘するならば、日本のジャーナリズムはただ黙視しているだけであって、その偏向の根は深いと言わなければならない。

日本のテレビや新聞は、私の知るかぎり石渡説はもちろん韓国で氏の本が話題になったことは、一行も、たった一言《ひとこと》も報道しなかった。ここで私は「石渡説は正しい。だから報道すべきだ」と主張しているのではない。報道の公共性、公開性、話題性から言っているのである。話題と言えば次のようなことがあった。

二〇〇一年（平成一三）一二月二三日の天皇誕生日を前に皇居で開かれた記者会見の席上、天皇が「私としては桓武天皇の生母が百済の武寧王の子孫であることを『続日本紀』に記されていることに、韓国とのゆかりを感じています」と語ったと一二月二三日の新聞で大々的に報道された。

　この天皇の発言は、日本と韓国の共同開催で行われるサッカーのワールドカップにちなんで、記者団のなかから「両国の市民レベルの交流も活発化していますが、歴史的、地理的にも近い国である韓国に対して、陛下がもっておられる関心、思いなどお聞かせ下さい」という質問に対する天皇の答である。この天皇の発言は外交辞令の類であるが、内容も的を得てかつ正確である。しかし大騒ぎするほどのものではない。

　朝日新聞には御厨貴《たかし》、上田正昭、所功、猪瀬直樹（現・都知事）のコメントが掲載された。案の定、その直後、週刊金曜日の編集部から天皇発言の真意とその内容について私に執筆依頼があった。その原稿が「天皇が認めた朝鮮と皇室の深いつながり」と題して週刊金曜日（第三九五号）に掲載された。

　私に執筆依頼があったのは石渡信一郎氏の発見の数々を辿った私の最初の本『馬子の墓』の書評を私の知り合いである鷲田小彌太氏が週刊金曜日（第三六九号、二〇〇二年一月一八日発行）に投稿したのがきっかけであった。そしてまた、私がきっと近いうちに然るべき石渡説の紹介記事が週刊誌か雑誌か新聞にいつか出るだろうと思っていたことがはじめて実現した年でもあり、また最後の記事でもあった。

　しかし、石渡説の紹介記事が天皇の発言がきっかけとなるとは夢にも思わなかった。また、この一件から天皇の起源（出自）＝国家の起源である日本の歴史が日本のジャーナリズムで真面《まとも》に取り上げられるのがいかに難しいかを思い知った。

というのは、週刊金曜日巻末の本多勝一氏署名の「今週号で天皇の朝鮮出自をめぐる問題が林順治氏によって書かれています。この問題は、日本における最大のタブーとしての天皇と深くかかわるので、近いうち改めて特集を組むつもりです」という記事に大いに期待した。

その後まもなく当時の週刊金曜日の編集・発行人の黒川宣之さんから、関西の公的機関のある研究者から投稿された「このような素人の書いたものを掲載していいものかどうか」と言った類の手紙のコピーを見せられた。この手紙によって特集を組むのを取りやめになったとは思わないが、「記紀」依存一色の日本の古代史学界の中で、天皇の出自をめぐる歴史を論理的に証明できる人物を探すとなると石渡信一郎しかいない。ハッキリ言って「多勢に無勢」である。

* * *

二〇〇四年秋、突然、池袋芳林堂が閉店を発表した。そのころまではまだ店頭にならぶ新刊をみて満足していた著者も編集者も、今や全点揃《そろ》えているという都心の超大型書店をのぞいて自分の書いた本や担当した本を見ることさえ難しい時代となった。全国の小売書店の半分はいつの間にか消えてしまい、あてにできる雑誌や週刊誌も数少なくなり、今や大型書店のレジの前は広告力のある大手出版社の新刊の展示場と化した。

このような書き手の願望とは裏腹にここ数年来文部省の検定済の日本史教科書や参考書（虎の巻）が巨大書店アマゾン（インターネット通販）や大型書店の売り上げベストテンに名を連

ねるようになり、店頭にも市販本と一緒にうず高く積まれるようになった。その売上げ冊数は全国の生徒が使用する冊数＋市販分のまるで見当がつかないほどの数である。

史実を伝えるべき歴史教科書がより広く読まれることは喜ばしいことだ。しかしたとえば、その検定日本史教科書が日本国家の起源＝天皇の起源とその出自を知ることができる最適の考古学的資料である「国宝隅田八幡鏡」を紹介せずに素通り（無視）しているのはなぜなのか。このことに私はこだわる。

たしかに「隅田八幡鏡銘文」は真摯な研究者・学者・愛好家たちによって約一〇〇年にわたる論争を経たにもかかわらず、その解読に決定的な合意をえないままになっている。現在、隅田八幡鏡は国立博物館に国宝として陳列されてはいるがその影は薄い。先に述べたように新聞・テレビが国民にその由来と価値を知らせてこなかったからでもある。

もし隅田八幡鏡の銘文に刻まれた「日十大王」が日本最大の古墳誉田《ほむた》陵（伝応神陵）の被葬者と同一人物であるならば、然るべき説明もなくこのよう扱いをしておくことができるだろうか。日本の「シャンポリオン」を輩出させ、中国・朝鮮・日本を含む東アジアの「ロゼッタストーン」、いや今日世界の輝ける存在となりうる鏡を、なぜ〝無名〟の鏡に貶《おとし》めているのだろうか。完全に解読されていないから教科書に載せないのか、論争の中身が難解だから載せないのだろうか。知られたくないために隠していると、誤解されても弁解の余地がない。

なぜなら一方では稲荷山鉄剣銘文の「辛亥年」を「五三一年」とし、「獲加多支鹵《わかたける》大王」を欽明天皇とする可能性もあるにもかかわらず「辛亥《しんがい》年＝四七一年」とし、「雄略天皇＝倭王武」

とする不公平な扱いをしている。「不公平」と言うのはいっぽうの仮説を簡単に捨て去り、いっぽうの仮説についてもしかるべき説明もなく採用しているからである。

真実は仮説の検証によってこそ明らかにされる。くわえて「記紀」の雄略天皇を倭の五王「讃・珍・済・興・武」の「武」を雄略の倭風諡号《しごう》の「幼武《わかたける》」が「タケル」と読めるからといって稲荷山鉄剣の「ワカタケル大王」と同一人物とするばかりか、『宋書』倭国伝の倭の五王を「記紀」記載の仁徳から武烈天皇に無理矢理にあてはめている。「我田引水《がでんいんすい》」とはまさにこのことである。

昨年の暮れ（二〇一二年一二月）、『私の日本古代史』（上・下、上田正昭）が拙著『八幡神の正体』とたまたま同日発売であった。私の本は石渡信一郎説の昆支＝倭王武＝応神＝八幡神＝「日十大王」にもとづいている。石渡説を知って以来、私は古代史の書き手が隅田八幡鏡の「癸未《きび》年」を「五〇三年」か「四四三年」か、稲荷山鉄剣銘文の「辛亥年」を「五三一年」か「四七一年」のいずれかにしているかによって、その本の価値を判断することを常としてきた。

古代といえども干支一運（六〇年）が異なれば人物も時代も出土する土器の型式も大きく変わるからである。あえてもうひとつ私の価値基準をつけ加えるならば、「記紀」の雄略天皇を倭の五王「讃・珍・済・興・武」の「武」を稲荷山鉄剣銘文の「ワカタケル大王」としているのかしていないかである。

『私の日本古代史』の著者上田正昭（一九二七―　）氏は京都大学名誉教授であり、日本古代史学界の長老でもあり、学問上の多く賞を受けている。また、修好勲章崇礼章（韓国）も受けるほど韓国の歴史学者との交流も深い。今回の本は明晰にして広範囲にわたる学識をもつ氏の晩年の著作でもあり、ある意味では意外な真実を吐露してくれるのではないかと私は期待した。

「意外な真実」というのはタイトルの「私の」から「本当のことを話す」と思ったからである。その「私」は主観的意味をもつが、また真実を露わにする可能性のあるその人の「個」および「現実と具体性」を意味する言葉であるからだ。

古代史の本が「史実性がない→真の論争がない→つまらない」という今日的状況のなかで、隅田八幡鏡の「癸未年」について時代の証言者であるべき古代史学界の長老がいかなる考えをもつのか大いに関心があったのである。

しかし氏は「七支刀」「広開土王」と「倭の五王」については述べても、「隅田八幡鏡」は素通りしている。しかも「倭の五王」で氏は「讃は履中、珍は反正、済は允恭、興は安康、武は雄略の各大王に比定することが可能である」としている。これでは江戸前期の儒学者松下見林の説とさして変わらない。

しかも「その銘文（稲荷山鉄剣）の冒頭の辛亥年は四七一年であり、獲加多支鹵大王が倭王武すなわち雄略天皇であることは間違いない」としている。なぜ短絡的に「記紀」と結びつけなくてはならないのか。今ベストセラーとなっている文部省検定済みの日本史歴史書と何の変わりもない。

日本古代史＝「記紀」の壁は石渡信一郎の隅田八幡鏡銘文の「日十大王」の解読と一連の発見によってもはや解体された。しかし「記紀」の中身が雲散霧消となり、空疎で無意味になったというのではない。地名・人名・時（干支）・事件が無数のキーワードとなってバラバラに散乱している。解体されたからこそ全貌が露わになり、見通しがよくなったともいえる。散乱した史実の断片を拾いあつめて足していくとその姿が明らかになっていく。その意味では稲荷山鉄剣も隅田八幡鏡も七支刀も価値ある大きな史実の断片にすぎない。

『日本書紀』編纂者たちはかぎりあるその時代の史実を意図的に解体して万世一系天皇の物語を創り上げた。したがって「記紀」には真実もあり虚構《フィクション》もある。本体もあれば分身もある。本当もあれば虚構もある。秘密もあれば嘘もある。権力もあれば服従もある。言ってみれば彼らが生きた時代であり、必要とした世界であり、現在の私たちが生きている時代と社会に酷似している。

＊　＊　＊

現代に生きる私たちが真実＝自由を必要とするならば歴史に学ばなければならない。E・H・カーは「歴史とは現代と過去の対話」であると言った。今現在に生きる私たちの過去への問いのことを言っている。しかしその問いは今ここに生きている私たちがどう生きるかという未来への自由な問いがなければ、生まれえない問いである。

私の自由は過去・現在・未来の〝現在〟に生きる私たち唯一の立場であり限られた時間における私の真実なのである。したがって私の自由がなければ歴史の真実は発見できない。であれば〝自由は真理の根拠〟である。

本書は「はじめに」でも述べたように、奇跡的に出土した「七つの金石文」による日本古代史の物語を一連のつながりとして工夫したものであるが、うまくいったかどうかは読者の皆さんがそれぞれ決めることなので、ひとまずお別れさせていただきたい。

また前著『八幡神の正体』同様、お世話になった彩流社の代表竹内淳夫さんに心から謝意を表し、「それでは〝八幡神の正体〟は、どう売れたの？」という忌憚のない皆さんの御懸念には、彩流社社員一同の「創意工夫」によって増刷になったとお知らせしてもお許しいただけるものと思っている。

それでは親愛なる読者の皆さんに、近いうちに〝虚構と真実の物語〟をテーマにした『法隆寺の正体』の出版を予定していることをお伝えし、それまでじっくりと本書『七つの金石文』を熟読玩味されることを心からお願いする次第であります。

二〇一三年〇〇日

林　順治

第七章　法隆寺の正体——もし聖徳太子が仏教王蘇我馬子であるならば

◆はじめに

聖徳太子不在の根拠とは

昭和四六年（一九七一）五月とその翌年の二月に出版された二人の書き手による日本古代史の本が学界と世間を驚かした。前年の書き手は古田武彦という京都市内の工業高校の教師を退職したばかりの無名の教師であったが、東北大学法文学部で日本思想史を学び親鸞に関する研究論文があった。もう一人の書き手は梅原猛という京都市立芸術大学美術学部の教授だが、梅原猛氏は一五年近く在職していた立命館大学の文学部教授を大学紛争のため退職していた。

この二人に共通していることは年齢がほぼ同じことと生誕地が東北の福島県と宮城県の仙台市であることだ。古田武彦は大正一五年（一九二六）八月八日の生れで梅原猛は大正一五年三月二〇日だから梅原猛が五ヵ月早い。

福島県喜多方市に生まれた古田武彦は英語の教師をしていた父の転勤にともなって広島で育った。以後、旧制広島高校↓東北大学日本思想史学科で本居宣長の研究で著名な村岡典嗣に師事した。大学卒業後、高校の国語・社会科教師として長野県松本深志高校↓神戸市立湊川高校↓京都市立洛陽工業高を経た。古田武彦が父の都合で幼少期に生誕地を離れたのは梅原氏と似ている。

梅原猛は東北大学の学生であった父と父の下宿先の石川千代との間に生まれたが、母が誕生一年九ヶ月で亡くなったので、父の出身地愛知県の伯父夫婦に養子として引き取られ、私立東海中学↓広島高等師範↓京都帝国大学哲学科に進んだ。京大の田辺元や西田幾多郎に魅かれたからである。したがって梅原猛はギリシャ哲学、ハイデカー、ニーチェを学んだ。

学徒動員世代の古田武彦も梅原猛も前線での戦闘体験はなく内地で敗戦をむかえている。昨年亡くなった吉本隆明など古田武彦や梅原猛ら同世代の思想がいかなるものかここでは述べることはさしひかえるが、古田武彦も梅原氏も今なお健在で執筆に専念している。

しかしなんといっても二人が際立って似ているのは四四、五歳前後に出版した最初の日本古代史の本が破格のベストセラーになったことである。古田氏の本は『「邪馬台国」はなかった』、梅原氏の最初の本は『隠された十字架——法隆寺論』である。この一九七一年から七二年は、連合赤軍が結成され、あさま山荘事件と全共闘運動の終結（一九七二・二・二九）と高松塚古墳の壁画発見（同・三・二一）というめぐり合わせの年であった。

のち、古田氏と梅原氏は法隆寺金堂の釈迦三尊像や薬師如来像の光背銘論争で相まみえることになる。本書は法隆寺のことがテーマなので古田氏と梅原氏の論争に共通している点、異なる点を少し具体的に説明することによって、日本古代史と「記紀」の謎と秘密を解き明かす手立てとしたいと思う。

さて観光客のメッカとなっている奈良法隆寺境内の五重塔の右（東）にある法隆寺金堂には釈迦三尊如来像（座高八七・五センチ）を中心に右に薬師如来像（座高六三・八センチ）が安置されている。左右に立像の脇侍菩薩をもつ釈迦三尊如来像は一・七メートルの光背をもち、薬師如来坐像も光背をもつ。その光背に銘文（九〇字、四行）が刻まれているのは釈迦三尊如来光背（一九六字、一四行）と同じである。

国史辞典などによると光背とは「仏身から発する後光をかたどって、像の背後に付けるものを光背という。この光背は制作年代の推定や尊名を決めるのに役立つことが多い」とある。また日本国語辞典などによると「仏の超人性を形容して、仏身が光明に輝くのを、仏像の背後の光明としてあらわしたもの。仏教諸尊像にひろく用いられる」とある。

日本史教科書には法隆寺は聖徳太子によって造られたと書かれ、ほとんどの日本史教科書には釈迦三尊像の写真が掲載されている。釈迦三尊像光背銘については後述することにして、釈迦三尊如来像の右側にある薬師如来光背銘の大意は次の通りである。

> 用明元年（五八六）に用明天皇が病気になったとき、用明が推古と聖徳太子を呼んで、病気の快癒を願って寺と薬師像を造りたいと言った。しかし、用明は死んで造れなかった

ので、推古と聖徳太子が用明の遺志を受けて、推古一五年（六〇七）に寺と薬師像を造った。

また天平一九年（七四七）に成立した。『法隆寺伽藍縁起《がらんえんぎ》并《ならびに》流記《るき》資財帳』（以下、『資財帳』）には次ように記録されている。

　金涅《こんでい》銅薬師像壱具、右、池邊大宮御宇天皇（用明）のために、小治田大宮大御宇天皇（推古）ならびに東宮上宮聖徳法王、丁卯年、敬造して、請い坐《ま》すものなり。

「金涅《こんでい》銅薬師像一具は用明のために推古と聖徳太子が丁卯（推古一五年＝六〇七年）に造った」という意味であり、先述の薬師如来像光背銘と内容が一致している。したがって法隆寺と薬師如来像は推古天皇一五年に造られたと信じられてきた。『資財帳』とは法隆寺が朝廷に差し出す財産目録である。各大寺院は国家から交付金をもらっているので毎年報告する義務があった。

ところがこの薬師如来光背銘が偽作であると指摘する研究者が現れた。この人は寺社建築に関する研究の第一人者で福山敏男（一九〇五―一九九五）という。博士は京都大学工学部教授を経て名誉教授となり、「隅田八幡鏡人物画像鏡銘文」でもほぼ正解に近い解読をおこなっている。

この福山博士は薬師如来光背銘に「天皇」「大王天皇」「聖王」という文字があることから、光背銘文は推古時代（五九三—六二八）のものではなく天武時代から天平年間（七二九—七四九）の『資財帳』を下限とするものと指摘した。

すなわち、福山博士は「法隆寺は用明・推古の二人の天皇と聖徳太子によって発願《ほつがん》され、建立された寺であり、光背銘分は勅願寺とするための後世の追記である」と提唱した。したがって、現在、銘文のみならず薬師如来像そのものも七世紀後半から八世紀初めにかけて製作されたとみる説が有力である。

ところが梅原猛は『隠された十字架』で『資財帳』の記事は「金埿《こんでい》銅薬師像壱具、右、池邊大宮御宇天皇、小治田大宮大御宇天皇、ならびに東宮上宮聖徳法王の奉為に、丁卯年、敬造して、請い坐《ま》すものなり」と読むべきであると福山説を批判した。

福山博士の解読とほとんど似ているようで読者にわかりにくいが、梅原猛は福山博士が「用明のために」とした箇所を、「用明・推古の二天皇と聖徳太子のため」に造られたと解読し、「丁卯年」を推古天皇の死後の推古天皇一五年（丁卯、六〇七）から推古天皇の死後（六二八）の干支一運六〇年下がった天智六年（丁卯、六六七）としたのである。

梅原氏の見解は、『資財帳』は嘘を書くことが許されないのだから、薬師像は天智六年に造られた像と思われるが、銘文は薬師如来に病気平癒の祈願とするという内容からみて、後世の偽作であり、元明・元正・聖武の時代（七〇七—七四九）に法隆寺の僧が『薬師寺縁起』と『資財帳』にもとづいて書いたものであるというものであった。

対して古田武彦は『古代は輝いていた――法隆寺の中の九州王朝』（Ⅲ）（一九八五年刊）で梅原氏を次のように批判した。要約してお伝えする。

> 文献（『資財帳』のこと）の解釈を基礎にして金石文（薬師如来などの光背銘）を疑うという梅原氏の方法論は誤りである。金石文という第一史料をもとにして文献という名の二次的史料を批判するというのが歴史学の根本である。
>
> 『資材帳』の記事は従来通りに読むことができる。二つの可能性が存在するとき、梅原説のようにその一方を採択したうえで、その自分が採択した解釈に矛盾する金石文に対して、偽作説を呼ばわりすることは、正当な学問上の方法ではない。

論争はもう一つの釈迦三尊像光背銘の方に飛び火した。この銘文の大意は次の通りである。

> 法興元三一年（推古二九年、六二一）一二月に聖徳太子の母鬼前《きせ》大后が死んだ。翌六二二年の正月二二日、上宮法皇（厩戸皇子＝聖徳太子）も病床につき、食事もとらなかった。干食《かしわで》王后も介抱の疲れで病床に就いた。王后・王子・諸臣が相談して、太子等身の釈迦像を造ることを発願した。釈迦像の力によって、病気が治ることを願い、もし寿命で亡くなったときは、早く浄土に往生されるよう願った。しかし二月二一日に王后が死に、翌日法皇も死んだ。

癸未年（六二三）の三月に、釈迦像および脇侍・荘厳具などを造り終えた。この微福により、仏教の信者が現世は安穏に過ごし、もし死んだときは、三主（上宮法皇・鬼前大后・干食王号）に従い、三宝を盛んにして、ついに成仏の成果をともにするであろう。司馬鞍首止利仏師にこの釈迦像を造らせた。

通説では釈迦三尊像は推古三一年（六二三＝癸未年）に聖徳太子のために造られたとされている。しかし光背銘の「法皇」という語は「仏法界における天皇」という意味をもつことから、件《くだん》の福山博士は「天皇」という語が使用され始めた大化の改新以後の天武時代の偽作とした。また博士は「法興」という年号も疑い、推古時代ではなく天武時代とした。

福山博士は法興という年号を架空のものとしたが、石渡信一郎によれば「法興元三一年」の元は、法興が元号であることを示している。したがって「法興元三一年」は推古天皇二九年（六二一）であるから、法興元年は崇峻天皇四年（五九一）である。

『日本書紀』によれば、崇峻三年は（五九〇）は飛鳥寺（法興寺）造営のために山の木を伐り、崇峻五年（五九二）には飛鳥寺の仏堂と歩廊が完成していることから、石渡信一郎は『仏教興隆』の意味をもつ法興という年号は飛鳥寺（別名法興寺）にちなんで大王馬子が定めた年号であると考えたのである。

さて福山説に対して梅原猛は釈迦三尊像を天武天皇一二年（六八三＝癸未年）に造られたとし、釈迦如来像光背銘は『資財帳』の「右奉為上宮聖徳法王、癸未年三月、王后敬造而」という記事にもとづく後世の偽作とみなした。つまり梅原は『資財帳』の「王后」を持統天皇としたのである。

というのは梅原猛によれば「王后」という語は皇后・天皇をさす。したがって聖徳太子が死んだのは六二二年であるからその後の癸未年は六二三年＝推古三一年か六八三年＝天武一二年かのいずれかである。であれば推古三一年（癸未年）には推古自身が女帝なので王后はありえない。癸未年を六八三年とすると天武の皇后持統がいるから王后は持統を指すからである。

たしかに梅原猛の指摘するように推古天皇は六二八年まで女帝として在位しているのだから「王后」という語はおかしい。したがって『資財帳』に「王后」としか記されていないのは、通説通り、この記事が光背銘の「王后」という語をみて書かれたものと見るのが合理的といえる。

もう一人の論者古田武彦は次の四つの理由から、「聖徳太子と上宮法皇は別人である。その理由の一つとして聖徳太子は終生天子になったことはない。その二つとして聖徳太子は斑鳩宮で死んだが上宮法皇は上宮で死んだ。そしてその三は、上宮法皇は明年（法興三二年＝六二二）の二月二二日に死んだと刻されているのに『日本書紀』では、推古二九年（六二一）の二月五日に死んだ旨記されている」と指摘した。

さらに古田武彦は持論の九州王朝説に基づき、「この両人物は没年と月日が違っているので同一人物ではありえない。聖徳太子の没年月日は日本書紀の記す通り、推古二九年二月五日である」と、四つ目の理由をあげた。

古田武彦の四つ目の理由というのは、古田武彦が上宮法皇を九州王朝の王であったアメノタリシヒコとしていることから生まれた発想と言える。というのは『隋書』倭国伝にアメノタリシヒコは「出でて聴く跏趺《かふ》して坐す」とあり、この姿勢は釈迦三尊像の結跏趺の姿と一致しているからである。古田武彦によればこの釈迦像は上宮法皇すなわち九州王朝の王アメノタリシヒコとなるからである。

古田武彦と梅原猛の光背銘における法隆寺金堂の釈迦三尊像光背銘と薬師如来像光背銘のおける解釈の異なる点はおおよそ以上の通りだが、両者に共通するのは聖徳太子の実在を前提としていることである。聖徳太子が実在の人物でなかったら、非在のものを実在した者として論ずるのだからかみ合うはずがない。

すなわち二人に共通する「聖徳太子の実在」は、一九七一年一一月に『「邪馬台国」がなかった』を出版してベストセラー作家となった古田武彦と一九七二年五月に『隠された十字架——法隆寺論』を世に公開して世間をアッといわせた梅原猛のもっとも似ていて、かつ共通する点といっても過言ではないだろう。

本書『法隆寺の正体』は「新旧二つの加羅系と百済系の朝鮮人渡来集団によって日本古代国家が建国された」と提唱する石渡信一郎の説を受けて執筆している。したがって「聖徳太子はいなかった」と「蘇我馬子・蝦夷・入鹿は大王であった」という二つのテーマを前提にして日本古代史と「記紀」の史実と虚構を選《より》分けていくことにする。本書の論説が通説とは異なるがゆえに読者の中には違和感をすくなからず持たれる方もおられるにちがいない。しかしこの二大テーマの別々に切り離しては論ずることも検証することもできない。ともあれ本書序章から目を通していただくことを願ってやまない。

なお、石渡信一郎の法隆寺金堂の「釈迦三尊像光背銘」と「薬師如来像光背銘」については第五章で詳述することにする。

◆おわりに

若草伽藍の塔礎石顛末記

喜田貞吉の「六十年の回顧録」

法隆寺再建非再建論争に火をつけたのは、喜《き》田《た》貞吉《さだきち》であることは本文でも述べた。喜田貞吉はまさに論争の人であった。喜田貞吉の論争のなかで特に知られているのは、「法隆寺再建非再建論争」と「南北朝正閏論」（南朝と北朝のどちらか正統かの論争）である。「南北朝正閏論」の責任をとって文部省を退職することになった喜田貞吉は、それ以降、雑誌に発表した論文は一三〇〇余を越える。しかし単行本は『日向国史』と『日本石器時代植物性遺物図録』と『六十年の回顧』の三冊だけである。

本項ではその喜田貞吉が『六十年の回顧』に書いた「ある特異な人物」のことについて述べ

ておきたい。その人物の名は「北畠治房《きたばたけはるふさ》」という。むしろ「北畠男爵」と呼んだほうが彼の豪放磊落な性格と幕末から明治という時代にピッタリなので、ここでは北畠男爵と呼ぶことにする。

　昭和一四年（一九三九）考古学者石田茂作《もさく》の尽力によって、それまで失われてなかった若草伽藍の塔礎石（心礎）を、法隆寺境内の普門院にかつてあった元の場所に据えて発掘調査（昭和一四年一二月）が行われた。その結果、若草伽藍跡が現法隆寺（再建）より古い、塔・金銅・講堂が南北一直線の四天王寺式で別に存在した寺であることがわかった。しかし喜田貞吉は発掘調査を開始する四ヵ月前に大腸ガンで亡くなった。

　したがってこれから話すのは、若草伽藍の塔礎石がいつ誰によって法隆寺境内の外に運ばれ、どのような経過を経て法隆寺境内の普門院（若草伽藍）の元の位置に納まったのかという顚末記である。

北畠男爵の怪気炎

　さて喜田貞吉が北畠男爵を訪問したのは、喜田が非再建論者の平子鐸嶺《たくれい》と関野貞《ただし》への反論を発表した明治三六年（一九〇三）であった。ちょうど喜田が平城京址の調査のために奈良に行く際、奈良女子高等師範の教師水木要太郎に法隆寺の案内を頼んだ。実は、北畠男爵は水木要太郎に「喜田が来たら俺のところに連れてこい」といった命令口調で喜田の来訪を約束させていた。北畠男爵は再建論者の喜田にぜひ教えてやりたいことがあったにちがいない。

本文でも述べたが北畠男爵は「法隆寺と斑鳩寺は別寺である」という見解の持ち主である。言ってみれば北畠男爵の考えは喜田貞吉の再建論に有利な説である。二人の会見模様を読むと、喜田は北畠男爵と法隆寺と石（若草伽藍の塔礎石）の関係のことはよく知らず、一方の北畠男爵は「法隆寺のことはすみずみまで知っている」という関係である。

北畠男爵は当時の歴史・民俗研究における新進気鋭の学者喜田貞吉の該博な知識を得たい。しかし、「法隆寺の若草伽藍跡ついて自分の知っていることは、いまはしゃべらないぞ」と思っている。二人の会話の波長が合わないのは当然である。

喜田貞吉によると男爵はかなりの高齢で老体ではあったが、いきなり猛烈な気焔を浴びせかけ、法隆寺問題で口を開いたものはすべて青二才で馬鹿であった。そして「喜田の論文に俺の論文を足したら天下無敵だ」と怪気炎をあげて喜田を前に一時間以上にわたって自説を展開した。

真実を知っている人物が「怪気炎」をあげるのはよくあることだ。さすがの喜田貞吉も男爵の「怪気炎」のエネルギー源の元となる石＝塔心礎にまつわる話が具体的にどのようなことなのか気付いていなかった。しかし男爵（当時五〇歳）にとって喜田貞吉（当時三二歳）こそ自分の秘密を告白すべき相手であった。そえゆえ男爵は喜田を賓客扱いにした。喜田が胃腸が悪いと聞いたのか、わざわざお粥《かゆ》まで用意していた。

一通りの話が終わると男爵は法隆寺内の案内をかって出た。男爵にとって法隆寺は自分の庭のようなものであった。男爵は須弥壇《しゅみだん》の上に登ってステッキで仏像を叩きながらお前にこの推古式の音がわかるか、あるいは目を閉じて柱を撫でながらお前にこの推古式の手触りが分かるかという調子であった。

男爵は大声で「これ小尼！　俺がお客様を案内するから、お前は曼荼羅《まんだら》を出したら下がってよろしい」などといって、東院、中宮寺など案内した。男爵はまさに法隆寺の界隈の大御所であった。喜田は『六十年の回顧』で、北畠男爵のことを愉快に思いだしている。

男爵は喜田貞吉が訪れたとき、若草伽藍の話をしたはずである。しかしすでに礎石は男爵邸内にあったか、あるいは男爵から人手に渡っていたのだから、男爵は喜田にどの程度まで自慢話をしたのか、喜田を普門院の若草伽藍跡まで案内したのか等々、喜田の回顧録から知ることは出来ない。おそらく男爵は案内しなかったと思う。

『六十年の回顧』で喜田が、これだけ印象的に男爵を書いていながら塔礎石のことについて一言も触れていないのは、若草伽藍についての確かなイメージが出来上がっていなかったばかりか、喜田貞吉がより年配の百戦錬磨の北畠男爵という明治の時代が生んだ稀有《けう》な男の煙にまかれたのかもしれない。

筆者（林）も北畠男爵が法隆寺の土塀を突き破って若草伽藍の礎石を自分の庭に移したのは知ってはいたが、男爵が天保四年（一八三三）一月の法隆寺村の生まれで通名「煙管屋鶴平《きせるやつるへい》」なる人物とは知らなかった。上原和《かず》の『法隆寺を歩く』（岩波新書、二〇〇九）から引用する。

明治十年（一八七七）五月七日には、当時の所轄であった堺県の官員たちによって、この塔の心礎の調査がなされて、二十人ほどの人足たちが五、六尺ほどまわりの地面を掘ったものの何も発見されなかったので、元のように埋めもどされたということですから、それ以後のことになりますが、この塔の礎石は、若草伽藍跡とは東大垣を隔てた直ぐ近くに豪邸を構えていた北畠治房男爵によって庭石として運びだされました。

　この北畠治房は『斑鳩町史』によりますと、天保四年（一八三三）一月法隆寺村で生まれ、通名煙管鶴平といいましたが、文久三年（一八六三）に入京、平岡竹夫と名を改め、大和五条で挙兵した天誅《てんちゅう》組に加わったものの、壮挙敗れて九州まで落ち延び、維新になって北畠治房と名乗り上京。江藤新平に認められ、明治に四年（一八九一）に大阪控訴長となり、同二九年に男爵を授けられ、その後の官を辞して法隆寺村の檀那きどりで、寺中をわが家のように振舞っていたとのことです。

男爵邸の庭石であった若草伽藍の塔の礎石は、さらに兵庫県住吉（現・神戸市灘区住吉本町）の久原房之介に売り渡されたことはよく知られている。しかし礎石が何時《いつ》売られたのかは明らかではなかった。

上原和によると、久しくその時期は明治四〇年（一九〇七）の春とされてきたが、昭和五八年（一九八三）の『法隆寺発掘調査概報（Ⅱ）』に収録された高田良信（法隆寺長老、法隆寺二〇八世官主）の論文「若草伽藍の礎石について」に〝『法隆寺要日記』（大正四年＝一九一五・七・二三日条）に北畠男爵邸内の若草伽藍礎石は摂津住吉の久原邸へ譲渡された旨のことが発見されたので、大正四年には北畠男爵邸から久原家に移されたことがわかった〟と書かれている。

そしてその後、昭和一三年（一九三八）に久原邸は野村徳七（大和銀行、野村證券創立者）の所有となり、同年九月に礎石の上にあった多宝塔が京都南禅寺の別邸に移され、礎石だけが住吉の野村邸にあったが、その礎石も石田茂作が東京日日新聞に発表した喜田貞吉と足立康の立会演説会の感想文（一九三九・三・二八）がきっかけとなり、国と法隆寺の要請を受けて昭和一四年七月二五日から一週間かけて法隆寺の普門院の若草伽藍址の戻ることになったのである。

ちなみにウイキによれば、南禅寺は京都市左京区南禅寺福地町にある臨済宗南禅寺派の大本山の寺院であり、本尊は釈迦如来、開山は無関普門（大明国師）、開基は亀山法皇とある。正式には太平興国南禅禅寺《たいへいこうこくなんぜんぜんじ》と号し、日本最初の勅願寺であり、京都五山および鎌倉五山の上に置かれる別格扱いの寺院で、すべての日本の禅寺で最も高い格式をもつと言われている。

私は上原和が引用した煙管屋鳩平＝北畠治房男爵が載っているという『斑鳩町史』を調べるために広尾の都立中央図書館三階の「地方史コーナー」の書棚を訪れた。たしかに、歴史編一巻、史料編二巻の計三巻からなる『斑鳩町史』はあるにはあったが、「煙管屋鶴平」なる名はどうしても見つからない。そうしているうちに史料編（正編・続編）の正編一〇頁の「若草の塔跡の発掘」というゴチックの見出しのところに次のような記事があった。

法隆寺西院の東南隅に近い普門院という子院の裏に大きい塔の心柱の礎石があって、江戸時代の文献にも若草の塔跡として出てくる。ところが大きな礎石は明治になって、寺の近くに住んでいた北畠男爵邸に庭石として持ち去られ、その後兵庫県住吉の久原房之介邸（のちに野村徳七郎邸となる）に移されたが、足立説がこの礎石を重視したため、にわかに学界でも世間でも問題にされ、野村家でも法隆寺へ返納することになり、二両連結の貨車に積んで運び込まれ、寺の老人たちの記録をたどって、ほぼ据わった場所にすえられた。

当時その運賃費用一万円は聖徳太子奉賛会から寄付されたのであるが、その残金で、付近を発掘したりしてみることになり、石田茂作がそれを委嘱されて年末に実施した。

いうまでもなく考古学者石田茂作と末永雅雄らによる昭和一四年（一九三九）一二月七日からの若草伽藍の発掘調査によって若草伽藍が、西院の現法隆寺の塔や金堂の基壇とほぼ同じ規模の基壇をもつ寺であることが判明した。しかも現法隆寺の塔が西、金堂が東、そして中間の北に講堂といういわゆる法隆寺式伽藍配置よりも古い塔・金堂・講堂の南北一直線の四天王寺式（塔・金堂・講堂の南北一直線）であることがわかったのである。

ところで上原和引用の『斑鳩町史』の内容とは異なって、私が見たそれには「若草伽藍の心礎」の写真が載ってはいたが、記事の内容があまりにも淡泊なので念のため奥付をコピーしてから帰宅した。その奥付には「斑鳩町史（史料編）、斑鳩町役場発行昭和五四年一月」とある。そして上原和の『法隆寺を歩く』（岩波新書）の参考文献を見ると、発行者は同じだが、発行年月日は「昭和三八年九月刊」とある。

私が都立中央図書館の『斑鳩町史』に「煙管屋鶴平」を見ることができなかったのは、この事項について「昭和五四年版」は大幅に修正されているからであった。しかし現時点では昭和三八年（一九六三）版の『斑鳩町史』はまだ確認していないことをお断りしておく。

ついでに煙管屋鶴平＝平岡武夫＝北畠治房が加わった天誅組について一言述べておく。天誅組の乱は、幕末の文久三年（一八六三）八月一七日土佐脱藩浪士高村寅太郎をはじめとする尊王攘夷派浪士（天誅組）が公卿中山忠光を主として堺で決起し、高取城の襲撃、十津川村を経て、鷲家口（奈良県東吉野）で壊滅（九月二七日）した約四〇日にわたる叛乱事件である。

この年の八月一三日の孝明天皇（江戸末期の天皇、在位一八四六—一八六六。明治天皇の父）による神武天皇陵での攘夷親征（大和行幸）の詔勅（八月一八日の公武合体派の政変で中止）が発端となっている。

また、淡路島の勤王家の大地主古東領左衛門は先祖代々の全財産を処分して天誅組の軍資金を供出したという。ちなみに大和中宮寺の住職であった伴林光平も大和五条の天誅組に参加して捕縛され、元治元年（一八六四）二月京都六角獄で斬首されている。

北畠男爵と伴林光平について、町田甲一は『大和古寺巡礼』で釈（永井）瓢斎が書いた『法隆寺の横顔』（昭和一七年）から「もと此の人（北畠男爵のこと）は煙管屋鳩平という法隆寺門前町の素民であったが、法隆寺の寺侍である北畠の養嗣子となり、天誅組の旗揚げで一党に加わり、途中からハミ出たことについては、伴林光平がその遺著において散々に苦言をならべているけれども、まんざら変節改論者とは認めるべきであるまい」という文を紹介している。

この釈瓢斎なる人物は明治一四年に生まれ、大正二年に大阪朝日新聞社に入り、社会部長を経て「天声人語」を約一〇年間執筆し、俳句をそえた名文で知られていた。昭和二〇年、六〇歳で亡くなっている。瓢斎は毒舌家としても健筆を振るい足立康の関野貞の非再建論を北畠男爵の説から一歩もでていないと鋭く批判したという。

煙管屋鶴平＝平岡武夫＝北畠治房男爵という刺激的でかつ示唆的な史実を『斑鳩町史』（昭和三八年度版）に見つけた上原和だが、本文でも述べているが聖徳太子実在論者であることを付記しておく。そして上原和の言う「斑鳩寺、すなわち法隆寺」とは現法隆寺のことである。

上原和によれば「寺は二つあったが、一つは聖徳太子のために造られた現法隆寺があり、もう一つは聖徳太子が用明天皇のために聖徳太子が造った推古朝の法隆寺があった」という。すなわち、聖徳太子のために造られた寺と用明のために聖徳太子が造った寺が二つあったということになる。

これまで石渡説を縷々《るる》述べてきたが、上原和の煙管屋鶴平＝平岡武夫＝北畠治房男爵のことが迂闊にも久しく気がつかなかったことはお詫びするにしても、賢明なる読者の皆さんであれば、聖徳太子実在論の上原説と、聖徳太子も用明天皇も実在した仏教王蘇我馬子の分身であり虚構の人物であったとする石渡説のどちらがより史実に近いのか判断されると思う。次は余談になるが、是非、お伝えしておかなければならない。

実は私は本書執筆の当初から本書のカバーに若草伽藍跡の塔礎石の写真を使うことに決めていた。その見本は『聖徳太子』（上原和、講談社学術文庫、一九八七）の三一頁に載っている風でたなびく雑草と寂しげな塔心礎の写真風景であった。それは飛鳥寺近くの田圃の畔に立っている入鹿の首塚にも似ている風情《ふぜい》だったからである。

序章でも述べているように、本書は聖徳太子不在、蘇我馬子仏教王の石渡信一郎説にもとづいている。したがって斑鳩寺＝若草伽藍は仏教王蘇我馬子が建立した寺であり、その塔心礎は蘇我王朝のシンボルである。

若草伽藍の塔心礎の写真と藤井利章の論文「斑鳩と藤の木古墳」の件で、私は二度斑鳩町興《おき》留《どめ》の聖徳太子史料館を訪ね、時代の古いものでは五点ほど撮影者（著作権者）が明らかな若草伽藍礎石の写真を調べてもらった。次に挙げた五点は撮影者と掲載紙（括弧内）がわかった。この紙面を借りてあらためて当館スタッフのＦさんの親切な対応に心から感謝する。

・井上博道（『斑鳩』の藤井利章の論文）
・入江泰吉（『昭和の奈良大和路』）
・岩波映画製作所（『いかるがの里』　一九五〇年）
・入江泰吉（『斑鳩の里』――入江泰吉大和路順礼六）
・朝日新聞（ぶらっと沿線紀行）

この中から載せて違和感のない若草伽藍の塔礎石の写真（見本）を入江泰吉記念奈良写真美術館にスタッフの一人に頼んで一点だけ送ってもらった。もちろん、然るべき料金を支払い、かつ法隆寺の許可を得るという条件付きである。この写真は先の上原和の本に載っているような寂しげさはないが、雑草のなかにただ一つとり残された巨石（塔心礎）のコントラストが見事であった。

法隆寺から送ってもらった「写真掲載願」に掲載誌名・著者・フィルム入手先、発行部数・読者対象・価格・発行年月日・掲載時の写真の大きさを記入し、かつ入江記念館からの見本の写真を同封して、彩流社代表兼担当編集者の竹内淳夫の名で一〇月七日飯田橋駅近くの郵便局から送った。

二日後の一〇月九日午後三時ごろ電車で移動中の私に彩流社の竹内さんからの電話があった。この日の午後は二子玉川のＳ病院で脳腫瘍の手術をして一週間目の四四歳になる甥のお見舞いの日で妻も一緒だった。「あとがき」のための「若草伽藍の塔礎顛末記」もほぼ九〇％完成していたので、私はすこぶる落ち着いた気分であった。

甥は小学四年生のとき姉と弟の傘の悪ふざけで失明したばかりか、下半身がほぼ完全に不自由になった。お見舞いの日のために、前日高田馬場の日本点字図書館から借りたヴィクトル・ユゴーの『レ・ミゼラブル』を持参して最近話題になった映画の話でもしながら励ますつもりであった。

二子玉川駅を降りてすぐ、竹内さんに「何かよくない知らせがありましたか」と私。「法隆寺から電話があって、本の内容を知りたいというので、誹謗中傷の類ではない。石渡信一郎の説にもとづいていると言ったが、石渡信一郎は知らないと言っている」と竹内さん。「内容が知りたいと言うのであれば、ややこしい問題になりそうですね。打ち合わせの上、法隆寺にはこちらの統一見解を出しましょうよ」と私。

バスが来たので病院に着いてからまた電話するということで、その場は電話をきった。バスのなかでは「内容」の説明は決してこれ以上するべきではない。しないということは、長い間たのしみにしてきた若草伽藍の塔礎石のカバーは実現しないことになる。しかし内容を説明したからといって許可がでるわけではない。それではどうするか。この三つが頭の中を堂々めぐりする。

甥への見舞の言葉も気もそぞろに病院の控室の電話ボックスから竹内さんに電話をする。「内容の説明をしても許可の可能性はない。説明すればするほど泥沼に入る。そもそも法隆寺は掲載を断るつもりで内容の説明を要求しているのだから、誹謗中傷ではない、石渡説にもとづいた法隆寺論であるという二点で突っ張りましょう」と私。竹内さんも同意見であった。

実は、入江泰吉の塔礎石の写真を決める数週間前に、私の知人で少なからず写真掲載の件で世話になっている枚方市在住の古墳などの写真家として知られているUさんから「法隆寺を背景にした私が撮った若草伽藍礎石の写真がある。それならば法隆寺の許可さえあればカバーに使用できるだろう」と聞いたので、数種類の見本を送ってもらい、それらをもとに法隆寺に電話を入れてその可能性について聞いた。

数回のやり取りの後、結果はU氏の雑誌に掲載された写真であっても、事後承諾は一切認められないという回答であった。私は「そもそも法隆寺が若草伽藍の塔礎石を未公開にしているのはおかしいじゃありませんか」と反発しようと思ったが、無益だと思い、この手の発言はすぐやめた。Ｕ氏にこの件を伝えると頭をひねっている様子であった。

　こんなこともあり、入江泰吉の写真掲載許可願の件では、具体的に掲載時における許可料の事だけを法隆寺に質《ただ》した。しばらくの間、答えに窮している様子なので、許可料しだいでは願書を出すことはできない。おおよその許可料を知りたいと言って粘った。やっと聞き出したその許可料は納得できる金額であったので「許可願」の書類を送ってもらうことにしたのである。

　電話のやりとりのなかで「ちょっと待ってください」という事務職員の対応の繰り返しから、その職員（女性）のすぐ側《そば》に然るべき担当の上司に相談していることは明らかあった。この上司Ｘ氏が彩流社の竹内さんに電話をしてきた人物かどうかわからないが、事務職員と同じ部屋にいた誰かが上司Ｘ氏であることはおおよそ検討がついた。

　しかしその部屋が法隆寺のどんなところにあるのか皆目わからない。この話はカフカ晩年の未発表作品で、ある寒村の城に雇われた測量士Ｋの物語『城』を思わせる。城に通じる道をやっと見つけたＫは二人組の男に出会う。二人の男の話によると城に入るためには「許可」がいるという。そこでＫは城の執事に「いつ、そちらに向かえばよいか」と電話を入れると、「永久に駄目だ」という。そこで城の周辺に宿に泊まることになったが、その後Ｋはさまざまに事件に巻き込まれ翻弄されていく。法隆寺の件もどこかカフカの『城』に似ている。

　そんなことをつらつら思いながら、夕方の五時過少し前に病院の控室から直接法隆寺に電話を入れた。私なりに法隆寺側の真意を知らなければならない。彩流社の竹内さんより私の方が前記のような経験をしているからだ。「担当の者がいま帰宅しましたので、こちらから明日電話をします。電話番号を教えてください」といつもの聞きなれた女性の声であった。
「お伝えいただきたいのですが、許可願は彩流社から出していますので、彩流社から明日電話を入れます。で、担当の方のフルネームを教えていただけませんか」と私。さらに「許可願には内容に関する記載がないのに、何故、内容に関して問われるのですか。このことを伝えてほしいのですが、内容に立ち入ることになると、双方やっかいなことになりせんか。〝イエス〟か〝ノー〟かの返事をいただきたい」と私は担当のＸ氏が女性職員の側にいることを想定して喋った。

　このように法隆寺に電話をいれたことを竹内さんに報告しようと思い、午後七時ごろ二子玉川駅広場の片隅で電話をいれたがすでに外出していた。こうして明日の対応は竹内さんにまかせることにしたが、竹内さんと私の一、二度の電話のやりとりだけではどうもあぶない。竹内さんが法隆寺に電話を入れる最初の電話が一番大事だ。

　竹内さんとじかに今回の問題の本質をじっくり話し合っておく必要がある。帰宅してから法隆寺との問答集の作成と「あとがき」の加筆・修正にとりかかった。私の「あとがき」を読んでから法隆寺に電話を入れるように、事前に頼んでいたからである。

　翌日一〇日の早朝六時にほぼ完成した「あとがき」の余白に「一〇時五分前後、御社に伺います。法隆寺に電話を入れる前にこちら側の姿勢をもう一度確認しておきましょう」と書いてＦＡＸを送った。

約束の時間に竹内さんの部屋に入った。「内容」については初回以上の説明はしない、こちら側の立場は早期決着、場合によっては「許可願の撤回」など異論なく合意した。雑談を含めて一時間ほどであった。

「それでは、電話の方はよろしく」と言って、私が立ち上がろうとすると、竹内さんは「これから電話をしましょう」と言うので、私は竹内さんと法隆寺との電話のやり取りを聞くことになった。竹内さんは鷹揚《おうよう》な人だ。もって生まれた性格である。相手の言い分をじっくり聞く。相手が話している間にイライラして茶々など入れない。そして今回の電話の趣旨はこちらの言い分を説明することではない。すでに「許可願」で済んでいる。相手の言い分をよく聞くことである。

竹内さんは「ふむ、ふむ」と聞いている。例の「誹謗中傷するものでない。石渡信一郎の説に基づくものです」と一度だけ言っている。しばらくすると合意したかのようだ。竹内さんの顔がにこやかになっている。一瞬、「あれ、許可が出たのか」と私。「それでは、著者と相談の上、夕方五時までに返事をします」と竹内さん。

受話器を置くと、竹内さんは「聖徳太子不在論にもとづく法隆寺批判の書籍については、写真掲載の許可はしないそうです」と言って私の顔を見た。「昨日は石渡信一郎を知らないと言っていたが、知っているんだな」と竹内さんは苦笑い。

「それはそうでしょう。石渡信一郎は『聖徳太子はいなかった』（三一新書）を出版しているし、大山誠一は『〈聖徳太子〉誕生』（吉川弘文館）の聖徳太子不在論でベストセラー作家となったのですから、法隆寺も散々苦労をしているんですよ。まさに法隆寺の正体ですね」と私。竹内さんと私は法隆寺の「迷解答」による早期決着に破顔一笑した。

私は、「法隆寺は年に一度、夏のある時期五週間程度、限られた者だけに若草伽藍の観覧を許可しているという。このような姑息なことをしないで、法隆寺の境内に入るすべての人々に公開すべき若草伽藍跡を〝歴史を考える〟憩いの公園に整備し、かつ然るべき法隆寺の〝真実と虚構〟の歴史をパンフにして観覧者に配ったならば、きっと間違いなく世界文化遺産としての意味と価値のある法隆寺として栄えるだろう」とつぶやきながり、帰宅の途についた。

こんなことを思うのも、心底批判するということは、相手をやりこめることではなく、創造豊かな歓びを生むものでなければならないと、最近、私は考えるようになったせいかもしれない。

二〇一三年一〇月一〇日

林　順治

第八章　ヒトラーなぜユダヤ人を憎悪したか
――『わが闘争』と『アンネの日記』

◆はじめに

『わが闘争』と『アンネの日記』

アンネ・フランクが父オットーから誕生日のお祝いに格子縞《こうしじま》の表紙のサイン帳をもらったのは、アンネの満一三歳の日であった。アンネはサイン帳の表紙裏に、前年の秋に撮った写真を貼りつけ、〝なんて素敵なポートレート！！〟とキャプションを付し、そして見返しの裏に次のように書いた。

　あなたなら、これまでだれにも打ち明けられなかったことを、なにもかもお話ができそうです。どうかわたしのために、大きな心の支えと慰めとなってくださいね。

　　　　アンネ・フランク　一九四二年六月一二日

前年の夏休み明けからアンネも姉のマルゴーもユダヤ人だけの学校に集められ、その年の五月からユダヤ人は星印のなかに「ユダヤ人」と黒で縫いとった黄色のワッペンを上着の左胸につけて外出しなければならなくなった。そしてついに一九四二年七月五日の日曜日の午後三時ごろアンネの母エーディトは郵便局員からマルゴー宛てのユダヤ人移民センターへの呼出状を受け取った。

小雨降る七月六日の早朝、アンネの家族は父オットーが用意していた隠れ家に移った。その日はオットー一家がフランクフルトからアムステルダムに逃れてまる九年経過していた。したがってアンネ・フランクの日記帳の見返しの裏に記された言葉は、迫りくる人類史上まれにみる危機にたいする一少女のかぎりない不安と怖れが祈りとなって吐露されている。

一九三八年三月一三日ヒトラーは凱旋将軍さながらウィーンに入り、オーストリアの併合を宣言した。翌年の一九三九年九月一日ドイツ軍はポーランドに侵攻し、ハインリヒ・ヒムラーがアウシュヴィッツに強制収容所の設置を指示したのが、侵攻前の四月二七日である。五月四日ルドルフ・フランツ・ヘスがアウシュヴィッツの強制収容所の所長として赴任した。

一九四〇年五月一〇日ドイツ軍は西部のオランダ・ベルギー・ルクセンブルクに侵攻して五月一七日から北フランスを襲った。イギリスの首相ウィンストン・チャーチルによるイギリス派遣軍とフランス軍のダンケルクの撤退作戦（ダイナモ作戦）は五月二六日から六月四日にかけて行われ、英仏軍あわせて三万三〇〇〇名の兵が救出された。しかしダンケルク撤退二日後、ドイツ軍はヴェルダンに進撃し、六月二一日フランスは降伏した。

ポーランドのビルケナウ（アウシュヴィッツⅡ）がユダヤ人絶滅＝ホロコーストのための強制収容所となったのが、ヒムラーがアウシュヴィッツ所長のヘスを訪れた一九四一年三月一日からである。その日はアンネや姉のマルゴーがユダヤ人学校に集められ、はじめてユダヤ人の「星印の黄色のワッペン」をつけさせられた「一九四一年五月」へと連動している。そして実際に一九四二年七月一五日からオランダに住むユダヤ人のアウシュヴィッツへの移送が開始された。

すべてのユダヤ人につけられた「星印の黄色のワッペン」は、どのような国に住もうと、男であれ、女であれ、子どもであれ、老人であれ、ユダヤ人はアウシュヴィッツで絶滅すべしという記号となったのである。『わが闘争』に書かれたヒトラーのユダヤ人絶滅の思想は恐るべき絶望と地獄の現実と化した。

ヒトラーと同じミュンヘンに住んだことのある作家トーマス・マンは「底知れぬ怨念が、この無能者、不能者、極度に怠惰でどのような仕事もできない、締め出された四分の一の芸術家の彼が、言いようもなく低劣ではあるが、大衆を動かす力を持ったある種の能弁をどのようにして身につけたのか」と、あまりにもその領域を超えた桁外れのヒトラーの言動に絶句する。

そしてトーマス・マンは、「ヒトラーがオーストリアの首都ウィーンに向かって軍隊を進めたときの彼の心にあった憤怒は、結局のところ、この地に本拠をもっていた老精神分析家、彼の本当の、本来の仇敵、哲学者であって、神経症の正体をつきとめた人、偉大なる覚醒者、天才について自ら精通し、他を啓蒙する人、フロイトに向けられたという点である」とまで言い放った。

ヒトラーがトーマス・マンの言うように四分の一は芸術家であったとしても、悪夢でなければ見ることができないような恐るべき世界を現実に作ったヒトラーは無能で怠惰であったのだろうか。その度を越した弁舌と暴力性は悪の天才ではなかっただろうか。しかし悪の天才などという呼び方などあるのだろうか。それにしてもフロイトがその正体をつきとめた「神経症」とはどのような事をさしているのだろか。

フロイトが「神経症」について明らかにした最晩年の遺言的著作『モーセと一神教』については、本書の「終章」お読みいただきたい。

＊　＊　＊

ヒトラーが自己の能弁と反ユダヤの演説が大衆を強く引きつけることを知ったのは、一九二〇年一月七日ヒトラーが極右団体「攻守同盟」主催のミュンヘンのビアホール、キンドルケラーの約七〇〇〇人の反ユダヤ集会で熱弁を振るって大喝采を浴びた三一歳のときである。以来、ヒトラーは頻繁《ひんぱん》に反ユダヤの演説を行った。ヒトラーが謝礼を受け取って演説するようになったのはこのころからである。

一九二〇年二月二四日ミュンヘンのビアホール「ホフブロイスハウス」で開かれた大会でドイツ労働者党（ＤＡＰ）は「国家社会主義ドイツ労働者党」（ＮＳＤＡＰ）という名称に変えた。「ナチ（Nazi）」は「ＮＳＤＡＰ」の蔑称で、対抗勢力が「ナチ公」と呼んでいたからである。自分たちは「ＮＳＤＡＰ（エヌエスデーアーペー）」とか「ＮＳ（エヌエス）」と呼んでいた。

一九一九年の最初のナチ党大会では五〇人前後にすぎなかった参加者が、二年後には六〇〇〇名、一九二五年末の党員数は二万七一一一名、その一年後には四万九五七三名、そして第五回選挙では六四〇万九六〇〇人の投票数を獲得した。ナチの支持上昇率は、『わが闘争』の売上にも大きな影響を与えた。一九三〇年には一年間だけで五万四〇〇〇部売れたという。

ヒトラーは物書き（ジャーナリストや編集者）ではない、作家でも歴史家でもまた著名な軍人でもない、ナチ党のアジテーターであったが、自他ともに認めるすこぶる能弁な演説家であった。しかしヒトラーは単なる能弁な演説家だけではなく、恐るべき行動力と暴力性を兼ねていることを「ミュンヘン一揆」（一九二三・一一・九）で極右仲間と国民大衆に知らしめた。

当時、ヒトラーはまだ海のものとも山のものともわからない一弱小右翼政党の党首であった。その意味では「ミュンヘン一揆」はヒトラーを有名にした。ヒトラーはベルリン進撃を躊躇する同じ仲間の極右三党の政治会場に乗り込み、「このピストルには弾が四発入っている。三発は私を裏切ったとき撃つためのものであり、最後の一発は自分のためである」と叫び、翌日の街頭デモ行進を強要した。

翌朝、ハーケンクロイツの旗を先頭にしたヒトラーの隊列は群集を驚愕させた。デモ隊はこの行進で一六名の死者を出した。ヒトラーはいったん南バイエルンに逃れ、一一月二三日に逮捕され、ランツベルク刑務所に拘禁された。

しかもヒトラーが極右の暴力主義者でかつ能弁な演説家だけでなかったことは、「ミュンヘン一揆」の二年後に『わが闘争』を出版したことでも明らかである。『わが闘争』はその後ナチの台頭とともに反マルクス主義＝反ユダヤ主義のバイブルとなった。

事実、ヒトラーが首相になった一九三三年は『わが闘争』はその年だけでも一〇〇万部売れた。河出書房新社から出版された『ヒトラー「わが闘争」がたどった数奇な運命』（アントワーヌ・ヴィトキーヌ著、永田千奈訳）に詳しい。

欧州戦線（第二次世界大戦）では三九〇〇万の命が奪われ、そのうちの二〇〇〇万人はソヴィエト国籍の「兵士・将校」「劣等な人間」「ユダヤ人＝ボリシェヴィキの支援者」であった。そして欧州在住のユダヤ人の三分の二にあたる六〇〇万人が強制収容所で殺害され、うち四分の一が幼児も含めた少年少女である。そしてそのなかの少女の一人がアンネ・フランクである。

＊　＊　＊

『アンネの日記』と『わが闘争』がそれぞれ一著作者によるたった一冊の本であるにもかかわらず、世界のベストセラーになったことでは似ている。いっぽうは名もなき一六歳の少女で、いっぽうは名だたる独裁者である。アンネの日記は言うまでもなく全世界で読まれ、『わが闘争』はヒトラーが一九三三年首相になってからナチス崩壊までに約一〇〇〇万部がドイツ国内で出版されたほか諸外国で翻訳され、欧米各国の首相や大統領、チャーチル、スターリン、ルーズベルト、ド・ゴールらは真剣に『わが闘争』を読んだ。

　この人類史上まれな恐るべき絶滅の思想が繰り返し述べられている『わが闘争』を読んで、本当に起こりうると予想した一国の指導者はイギリスの首相ウィンストン・チャーチルであった。チャーチルは回想録に「実に意味深長な部分を含んでいる新たな聖典を手にしたようだった」と記し、ユダヤ人の存在を罪悪とし、その存在を排除しようとする反ユダヤ主義に慄然とした。

　一九三四年『わが闘争』を読んでいち早くその危険性を察知したダヴィド・ベン＝グリオン（一八八六―一九七三、初代イスラエル首相）は、「ヒトラーの政治は、ユダヤ民族そのものを脅かすものだ」とユダヤ人のための建国を決意したという。一九三五年ベン＝グリオンはパレスチナのユダヤ機関の執行委員会の議長となり、その役職を一九四八年のイスラエル建国まで務めた。

　第二次世界大戦が終結すると、ナチス党幹部たちの財産すべてが没収された。アドルフ・ヒトラーの住所は最期の時までミュンヘンのプリンツレゲンテン広場一六番地であったので、ヒトラー遺産の管理人はバイエルン州であった。ヒトラーの親族が版権の所有を主張したが裁判所は認めなかった。

現在、ドイツではナチス賛美につながる『わが闘争』の出版は禁じられている。ところがバイエルン州ミュンヘンの現代史研究所はヒトラーの死後七〇年にあたる著作権保護期間の終了する二〇一五年一二月末日をめどに、厳密な注釈を付した『わが闘争』の歴史・批評版の編纂に取り掛かることを表明した。

この件に関して毎日新聞夕刊（二〇一一・九・二七）は『わが闘争』の再出版をめぐり「極右のネオナチが喜ぶだけで出版は危険」「学術的には必要」というドイツ国内で起こっている議論をスクープしている。その内容を要約して紹介するが、事はそう簡単にはいかないようである。

『わが闘争』は一九三三年にナチスが政権を取ってから「聖典」化し、学校の授業で使われ、新婚家庭にも配布され、一九四五年の終戦まで一〇〇〇万部以上増刷された。著作権は現在、ヒトラーが生前に住民登録をしたバイエルン州が保存している。

しかし二〇一〇年二月にミュンヘン公立現代史研究所は「重要な歴史資料」として、著作権の切れた後に注釈書付き新刊を出版したいという意向を表明したのである。ドイツは基本法（憲法）で「出版の自由」が保障する一方、刑法ではナチス賛美につながる書物の配布を禁じており、司法当局が出版を認めない可能性もある。バイエルン州政府も「二〇一五年一二月三一日に著作権が切れた後も、法によって出版は禁じられる」という見解を出している。

以上のような毎日新聞夕刊の報道後、ミュンヘン現代史研究所が編纂する歴史・批評版に対して二〇一二年四月バイエルン州議会では資金的援助を行うことを決定した。ところが州政府は二〇一三年一二月にこの補助金を打ち切り、さらに現代史研究所が編纂を続行するのであれば刑法上の手続きをとると宣言した。このような州政府の方針に議会はもとより他の方面からも非難の声が起こった。

二〇一四年一月二三日、釈明に追われた州政府の教育相は議会の学術委員会で「ホロコーストの犠牲者とその遺族、ユダヤ人団体の代表者たち、イスラエル国から寄せられた声を無視することはできない」と補助打ち切りの説明をした。

しかし教育相は「ヒトラーのイデオロギー煽動文書の歴史・批評版はバイエルン州の委嘱によってことさら編纂されるものではない」とし、さらに「現代史研究所が自己の権限、責任において編纂を続行するのは自由であり、学問の自由を尊重し、刑法上を罪に問わず、すでに援助した五〇万ユーロについて州政府に返還の必要がない」と、態度を軟化した。

『出版ニュース』（二〇一四年二月下旬号）に掲載された弁護士伊藤暢章氏のレポートによれば、現代史研究所所長のアンドレアス・ヴィルシング博士は、すでに昨年末の公開討論会で、『わが闘争』がナチス史研究の中心をなす史料であることを指摘し、ホロコーストを生き延びた人々に十分な敬意と考慮をはらいながらも、学術的にこの本の神秘性を剥ぎ取って、歴史教育、政治教育に資することができると主張して、補助金のあるなしにかかわらず、予定通り二〇一五年末に出版することを明言した。

しかしバイエルン州政府は、著作権保護期間終了後も、なんらの注釈を加えない版や、オリジナルの復刻版、恣意的な抜粋版などに対しては刑法上の手続きを辞さない意向を示している。

なお、静岡新聞は二〇一二年六月一一日から一五日にかけて「平和国家どこへ」というタイトルで「ナチスの犯罪捜査」（一）「戦犯捜査変えた判決」（二）「強制労働、官民で補償」（三）「犠牲者悼む路上の石」（四）「ヒトラー『わが闘争』」（五）の特集記事を組んでいる。

また、一九九四年以来、ドイツ桐朋学園で中高生に歴史・政治経済・ドイツ語を教えた岡祐《ひろ》人《ひと》氏は自著『忘却に抵抗するドイツ』でベルリンの壁崩壊（一九八九・一一・一〇）後の統一ドイツにおける教科書を中心とする歴史教育（ホロコースト）について詳しく述べているので参考になる。

本書は、二〇〇五年一一月に出版した拙著『ヒロシマ――進歩と殺戮の２０世紀』（彩流社）の第一部ホロコーストの第一章アドルフ・ヒトラーと第二章アウシュヴィッツをベースに大幅に加筆・修正した。『ヒロシマ』（七〇〇頁、六三万字）は一四章＋終章からなり、その分量があまりにも膨大なため、多くの読者を得るためには不都合であったからである。

特に本書「第一章アドルフ・ヒトラー」は平野一郎、将積茂訳『わが闘争』（上・下、角川文庫、平成二一年＝二〇〇九年、改版第一五版）によるところが大きい。訳者将積《しょうじゃく》茂《しげる》氏が「その思想はかなり首尾一貫している」と指摘し、かつ大衆心理の洞察はきわめて優れているとしている。

私の知見を加えるならば、当時、ヒトラーが目の敵にしたドイツ社会民主党（マルクス主義政党）の政治手法に対するヒトラー独自の分析は説得力がある。ヒトラー自らナチのテロを社会民主党のテロから学んだとしてその詳細な具体例をあげているからである。

なおヒトラーのウィーン時代をふくむ青少年時代の自叙伝は多少の誇張はあるものの、白を黒と言いくるめる天賦の才をもった独裁者ヒトラーにとって青少年時代の過失、無能、失敗は自慢のタネになることそあれ、隠すほどのことではなかったと考えられる。したがって『わが闘争』に書かれたヒトラーの青少年時代の事柄はほぼ信用できるとみてよい。

『わが闘争』は決して読みやすい本ではない。しかし、ヒトラー自身の幼年期や将来の進路のことで父と争う場面やウィーンの補助労働者時代のなかにフロイトが生涯かけて究明した「神経症」特有の葛藤があり、その病理的側面からみても資料的価値は極めて高いと言わなければならない。

また、ヒトラーの「ユダヤ人がいなければ……」という強迫観念が当時ヨーロッパを席捲したマルクス主義と結びつき、ヒトラーが反ユダヤ主義＝反マルクス主義、反ユダヤ人＝反マルキスト（共産主義者）、反ボリシェヴィキ＝反ロシア革命に転落していく過程がよくわかる。

いや逆に「マルキストがいなければ……」という固定観念が先行していたのかもしれない。というのは、大衆心理や群集心理をよく心得たヒトラーはどこにでも見かけるユダヤ人を特定し、排除することが大衆の喝采をあび、またブルジョアや資本家の共感を得ることから、マルクシズムを打倒するためにはユダヤ人を絶滅しなければならないという極度の観念に転落していった可能性もあるからだ。

＊　＊　＊

アドルフ・ヒトラーとアンネ・フランクは恐怖と絶望と絶叫のアウシュヴィッツ絶滅収容所と結びつく。一九二九年六月一二日フランクフルトに生まれたアンネ・フランクと一八八九年四月二〇日オーストリアのブラウナウ生まれのヒトラーはちょうど親子ほどの年齢差である。しかもアンネの父オットー・フランクはヒトラーと同じ一八八九年の生まれで、二人とも同じドイツ兵として西部戦線に召集されている。

アンネにとってヒトラーは同国人であり、父親と同じ世代の人間に愛され慈しみされこそすれ、絶望と恐怖の渦巻く地獄の世界に送り込まれなければならない理由などどこにもなかった。あるとすればアンネはユダヤ人であったというだけだ。ヒトラーは得体のしれない悪魔か。このような筆舌につくしがたい悲劇がいったい何故おこったのか。私たちは知らなければならない。

百科事典の編集責任者で歴史家として著名なヤン・ロメインは、妻がオットー・フランクの知人ヴェルナー・カーンから預かって自宅においていたアンネの日記の原稿を一読した。その内容に深い感銘を受けたヤン・ロメインは、翌日（一九四六年四月三日）、「一少女の声」と題してヘト・パロール紙に発表した。

ヤン・ロメインの「この少女の〝嘆きの深き淵より〟の叫びこそニュルンベルク裁判で出されたすべての証拠を合わせたよりも、はるかにファシズムのおぞましさを体現している……」

という論説は、大きな反響を呼び、ついにオランダの出版社コンタクトから発売された。初版は一五〇〇部、タイトルは『隠れ家』、サブタイトルは「一九四二年六月一二日から一九四四年八月一日までの書簡体による日記」であった。序文はヤン・ロメインの妻であるアニー・ロメイン＝フェルスホールが書いた。

ヤン・ロメインの引用した〝嘆きの深淵より〟という句は、『旧約聖書』「詩編」一五〇編のうちの第一三〇編の次の詩のなかにある。

深き淵の底から、主よ、あなたを呼びます。
主よ、この民の声を聞き取ってください。
嘆き祈るわたしの声に耳を傾けてください。

◆おわりに

フロイトと『モーセと一神教』

夢を解くヨセフ

両親をユダヤ人にもつフロイトは、ユダヤ教＝旧約聖書とは無縁ではない。『旧約聖書』（以下、『旧約』）の「モーセ五書」は「創世記」に始まり「出エジプト記」「レビ記」「民数記」「申命記」で終る。何故ゆえにトーマス・マンが「ヒトラーの仇敵、神経症の正体をつきつめたフロイト」と書いたのかを理解するには、「創世記」三五章二二節のヤコブの息子、一一番目のヨセフとはどのような人間であるのかと知っていたほうがよいだろう。

ヨセフは兄たちの悪巧みによってエジプトに売られた。ヨセフを買ったのはファラオの宮廷侍従長ポティファルであった。ヨセフの夢を解く才能がすぐれていたことがファラオの耳に入った。そこでヨセフはファラオが見た「実の入っていない穂が、よく実った七つの穂をのみ込んでしまった」という夢を解き、「七年の大豊作のあとに、エジプトを滅ぼす七年の大飢饉が始まる」と、ファラオに大飢饉にそなえるように進言した。

ファラオは「このように神の霊が宿っている人はほかにあるだろうか。お前を宮廷の責任者にする。わが国民は皆、お前の命に従うだろう。ただ上位にあるということだけで、わたしはお前の上にたつ」と、印章のついた指輪を自分の指からはずしてヨセフの指にはめ、ヨセフを王の第二の車に乗せた。ヨセフが予言した通り七年の大豊作の後、エジプト全土と周辺諸国に七年の大飢饉が襲った。

「乳と蜜の流れる場所」カナン

ヨセフの一〇人の兄たちも、食糧をもとめてカナン地方からエジプトにやってきた。そこでヨセフの知るところとなり、一〇人の兄たちとカナンの地に残された父ヤコブと末子のベンヤミンは、エジプトに移住することになる。

カナンは地中海とヨルダン川・死海にはさまれた地域一帯をさすが、旧約では「乳と蜜の流れる場所」とされ、神がアブラハムの子孫に与えると約束した土地であることから「約束の地」とも呼ばれていた。今のイスラエルとパレスチナを中心とした地域である。

創世記四六章二六節に「ヤコブの腰から出た者で、ヤコブと共にエジプトに行った者は、ヤコブの息子の妻たちをのぞけば、総数六六名である。エジプトで生れたヨセフの息子は二人である。従って、エジプトへ行ったヤコブの家族は総数七〇名であった」と記されている。

イスラエルの人々はエジプトの奴隷として四三〇年過ごした。四三〇年を経たちょうどその日に、イスラエルの人々はモーセに引き連れられてエジプトの国を出発した。出エジプト記一二章三七節には「イスラエルの人々はラメセスからスコトに向けて出発した。一行は、妻子を別にして、壮年男子だけでおよそ六〇万人であった」と記されている。

とするとヤコブを父とする一二人の兄弟がエジプトに移住してから四三〇年経ったことになる。モーセがイスラエル人を連れてエジプトを脱出したのは紀元前一二三〇年とされているから、ヤコブと一二人の兄弟がカナンからエジプトに移住したのは紀元前一六六〇年ごろとみてよい。

「モーセ、エジプト人」説

さて、トーマス・マンが言った「ヒトラーの仇敵、神経症の正体をつきつめたフロイト」に関連する内容に入ろう。一九三三年にナチス政権を逃れたトーマス・マンは、スイスとアメリカにおける亡命生活のなかで『旧約』のヤコブと一二人の物語を書き続けたことは既述した。

フロイトは一九三七年、雑誌『イマーゴ』に「モーセ、エジプト人」という論文を発表した。その内容はモーセがエジプト人でアーメンホテプ四世の高官ではないかという驚くべき想定にもとづくものであった。この論文の発表がいかに危険であるかフロイトは十分知っていた。なぜなら『旧約』では、モーセはイスラエルの預言者であり、ユダヤ人の父であり、建国の主であるからだ。したがってフロイトの説にしたがえば、モーセはエジプト人であり、ユダヤ人ではないということになる。

フロイトの両親はユダヤ人だが、ユダヤ教会に通わないユダヤ人であった。当時、そのようなユダヤ人が多くいた。現在のチェコスロヴァキアに属しているライズベルク村で、フロイトは父ヤコブより二倍の歳の少ない二度目の妻アマーリアの長子として生まれた。したがってフロイトには父ヤコブと先妻の間に生れた腹違いの兄二人、自分の下に五人の妹、一人の弟がいた。家族はフロイトが三歳のときの一八五九年にウィーンに転居した。

フロイトがヒトラーのオーストリア侵攻によってイギリスに亡命したのは一九三八年である。フロイトは八〇年間ウィーンで生活し、精神分析におけるその業績のすべてはウィーン時代に達成されたものであった。いうなればフロイトはカトリック教国家オーストリアの保護下にあったことになる。そのフロイトが「モーセはエジプト人だった」と言うのだから、カトリック教会からの圧力と弾圧は当然考えられた。

ヒトラーのオーストリア侵攻

論文を発表する一年前にフロイトは、ニーチェやリルケの愛人でもあり友人のルウ・サロメ（一八六一―一九三七）に、オーストリアのカトリック教会当局からの精神分析に対する禁止という危険を冒さないでは発表できないし、また、逆にこのカトリック体制のみがフロイトたちをナチズムから守ってくれると書き送った。

さらにフロイトは「モーセ物語の歴史的根拠は確実ではないので、私は沈黙を守ります。私自身は問題の解決を信じられるというだけで十分です。このことは生涯を通じて私を追いまわしてきました」とサロメにその心境を伝えている。

しかし一回目の論文を発表したその年の秋、フロイトはモーセ三部作の第二部にあたる「モーセがエジプト人であったならば……」を発表し、一九三八年に三部作目の「モーセと一神教」を発表した。第三部はロンドンに亡命してから出版された。第三部に「はしがきⅠ」と「はしがきⅡ」があるが、それぞれ「一九三八年三月以前」と「一九三八年六月」と付記されている。

つまり「はしがき」は二つあり、「一九三八年三月」は三月一一日のヒトラーのオーストリア侵攻を意味し、「一八三八年六月」はロンドンに亡命した月をさしている。フロイトは「はしがきⅠ」の冒頭に次のように書いている。

もはや失うものがなにもない。あるいはほとんど失うものがない者に固有の大胆さでもって、私は十分に納得した上での決意をもう二度目ではあるが、『イマーゴ』に(第二三巻、一号と三号)に掲載したモーセに関する二つの論文に、これまで差し控えていた結末部を付け加えることにする。

この仕事を成し遂げるためには私のもろもろの力はもうないであろうと自覚している旨を私はすでに明瞭に述べたし、高齢ゆえの創造力の減衰という事態ももちろん考えたのであるが、しかし、なお別の障害を念頭においていた。

引用最後の「別の障害」というのは、いままでカトリック教会の保護をうけてナチズムからの弾圧を免れてきたが、この論文にあらたな結末部を付け加えることによって生じるカトリック教会側からの圧力のことである。

心的外傷と宗教の発生

フロイトは続いて次のように語っている。「実に奇妙な現実だが、ほかならぬカトリック教会制度が上述したように文化の危険性の拡大に力強い防衛力でもって対抗している状況になっている。これまでは、このカトリック教会制度こそが、考えることの自由および真理認識への進歩にとって宿敵であったのに!」

フロイトがいう新たに付け加える「結末部」とはいかなる内容なのか。その「結末部」というのは、フロイトがユダヤ教のもつ一神教を神経症発生に類似する事例として分析したことである。

どういうことかと言うと、かつて経験され、のちに忘却された印象、すなわち神経症の病因論に非常に大きな意味をもつ印象をフロイトは心的外傷と名づけている。それは論理的思考を圧倒し、心に迫りくる強迫という名の特徴を持つ。

心的外傷のすべては五歳までの早期幼年時代に体験される。フロイトによればその体験は通常完全に忘れ去られているが、心的外傷→防衛→潜伏→神経症発生の経過をたどるという。人類の生活においてもこのような個人の生活における事態と似たことが起こっているとフロイトは考えた。

人類の生活でも性的・攻撃的な内容の出来事がまず起こり、それは永続的な結果を残すことになったが、とりあえず防衛され忘却され、長い潜伏期間を通してのち、発生すなわち出現するというのである。フロイトはこの想定にもとづき、神経症状に似た結果こそ宗教という現象にほかならないと考えたのである。

『モーセと一神教』はフロイトがロンドンに亡命して二ヶ月後の一九三八年八月に出版された。フロイトはこの本で、「もしモーセがひとりのエジプト人であったならば、そして、もし彼がユダヤ人に彼自身の宗教を伝えたとするならば、それはイクナートンの宗教すなわちアートン教であった」と考えた。

「マート（正義＝真理）に生きる」＝イクナートン

エジプト第一八王朝の紀元前一三七五年ごろ、若いファラオが父アーメンホテプ三世の後継者としてアーメンホテプ四世を名乗ったが、のちに名を「アメン神は満足したまう」という意味のアーメンホテプから、「アトン神にとって有用な者」という意味のイクナートンに名をかえた。

アトンとは太陽神の太古の名前であるアートン教にもとづく。イクナートンは太陽を物質的対象物としてではなく、太陽光線のなかに神的存在の象徴を見て、「マートに生きる」ことを欲した。マートとは正義と秩序と真理の意味をもつ。

イクナートンはアメン神官団の支配勢力下にあったテーベからより下流にあるナイル東岸のエル・アマルナに王宮を移し、アメン信仰のすべてを弾圧・禁止したが、王の狂熱的な改革は長続きしなかった。アートン教は破棄され、アメン神が復活した。フロイトによればモーセは政府高官か王家の一員であった。ファラオの熱烈な信奉者であったモーセは、エジプトから排除された宗教をもっと峻厳にもっと激しく植え付けるべく民族ユダヤ人を見出し新たなる王国を建てようとした。

モーセ殺害の罪

フロイトはユダヤ教がもつ一神教の理念を説明するにあたり、精神病理学における人間の神経症発生を類似する事例としてあげた。かつて体験され、のちになって忘却された印象、つまり、神経症の病因論に非常な大きな意味をもつ印象をフロイトは心的外傷と名付けた。

それは論理的思考を圧倒し、心に迫りくる強迫という名の特徴をもっている。心的外傷のすべては五歳までの早期幼年時代に体験され、その体験は通常完全に忘れ去られている。人間は生後五年で性的成熟にいたる動物に起源をもつと考えられ、性生活と二回にわたる発現は人類の発生史とおおいに関係があるとフロイトは指摘している。

実は、モーセは反抗的なユダヤ人によって暴力的に殺害され、モーセの一神教も捨てられたとフロイトは考えた。というのはエジプト脱出後の五〇年にわたる荒れ野のさすらいは、モーセの権威に対する一連の謀反と反抗の記録にみちているからだ。

イクナートンの学校を出たモーセの教義は、モーセの主人イクナートンの教義よりはるかに峻厳であった。フロイトによれば、イクナートンの時と同じようにモーセ配下のユダヤ民族も高度に精神化された宗教に耐えることができず、独裁者を片付けてしまったというのである。

しかし、その後、バビロンの捕囚（紀元前五九七年）の終る頃、ユダヤ民族のなかに殺害された者が死者のなかから復活した。そしてモーセ殺害に対する悔恨の念に満たされ、この犯行を忘れようと努める時がやってきた。モーセに関する根強い伝承が生き残り、一時は神の場を占拠していたヤハウェ神もついには、モーセの神にその地位を譲らざるを得なかった。

フロイトの結論はユダヤの歴史を貫く二重性であった。最初の宗教が後の宗教に駆逐されながら、のちにその宗教が姿を現し勝利を誇る。これらのすべての二重性は、第一の二重性、すなわち民族の一方の構成部分が心的外傷の原因と認められる体験をしているのに、他の構成部分はこの体験にあずからなかったという事実の必然的結果であるというのである。

ユダヤ人憎悪の源泉

フロイトによれば、キリストは元父殺害の主犯にして生れかわりにほかならない。ユダヤ教は父親の宗教であったが、キリスト教は息子の宗教に変貌を遂げた。ユダヤ教の継承者たるパウロは、またユダヤ教の破壊者でもあった。パウロは救済の理念を通して人類の罪意識を追い払ったが、ユダヤ民族の選民意識としてのしるしであった割礼を放棄した。

しかしこの新しい宗教（キリスト教）はユダヤ教が登りつめた精神化の高みを、維持できなかった。キリスト教は周辺の諸民族から数多くの象徴的儀式を受け入れ、偉大なる母性神格をふたたび打ち立て、多神教の多くの神々の姿を受容する場を設けてしまった。キリスト教は、アートン教やモーセの戒律のように迷信的、魔術的、そして神秘的な要素の浸入に対して峻厳な態度をとらなかった。

結果としてこれらの要素はその後二千年間にわたって精神性の展開を著しく後退させた。父親（モーセ）殺害を否認し続けたユダヤ民族は、そのことで時代を通じて苛酷に罰せられることになった。ユダヤ民族に向けられた非難は、「お前たちは神（神の原像、原父＝モーセ、そして後の神の生まれ変わり＝キリスト）を殺したのを、認めようとしない」。「もちろん、われわれも同じことをした。しかしわれわれはそれを認めたし、われわれは以来、その罪を償ってきているのだ」と。

反ユダヤ主義はユダヤの民の子孫を迫害するのにこれほど正当な理由はない」とフロイトは指摘する。フロイトはこのことに関連して次のように書いている。

ユダヤ人が土地に馴染まない異邦人であるとの非難はまったく根拠のないものである。なぜなら、こんにち反ユダヤ主義が席捲している多くの土地で、ユダヤ人は全住民のなかで最古参の部類に属するのであり、また、現在の住民よりもずっと早くその土地にいたからである。

この事実はケルン市の場合にあてはまるのであって、ユダヤ人はこの地にローマ人とともに、ゲルマン人によって占領されるより前にやって来ていたのである。ユダヤ人憎悪のその他の理由はさらに強力なもので、たとえば、ユダヤ人がたいていの場合、異なる諸民族のなかで少数派として生活している事情がそれにあたる。

ユダヤ人の大きな特徴

フロイトによれば、集団の共同体の感情はより完全なものになるため、その集団外の少数者に対する敵愾心を必要とする。除外された者の数の上での弱さが弾圧を促進する。さらにユダヤ人には二つの大きな特徴がある。第一の特徴はユダヤ人が多くの点で彼らの「主民族」と異なっていることである。しかしユダヤ人は敵が言い立てているほど異なっているわけではない。逆にむしろ地中海文化の継承者なのである。しかし集団の不寛容は根本的な差異に対してより、むしろ小さな相違により一層強く現れる。

ユダヤ人が示す第二の許しがたい特徴は、ユダヤ人がありとあらゆる圧制に抗し続け、極端な残酷な迫害ですらもユダヤ人を根絶やしにすることができなかったことである。それればかりか、ユダヤ人はかえって実業生活において成功し、文化的営為においても価値の高い寄与をなす能力を発揮したという事実である。

ユダヤ人憎悪のより深い憎悪は遠い昔の過ぎ去った時代に根をおろしており、諸民族の無意識から発して現在の現実に及ぼしている。たしかにこの動機ははっきりした根拠をもっているわけではない。しかしあえて言明するが、おのれを父なる神の長子にして優先的に寵愛を受ける子であると自称する民族に対する嫉妬がこんにちなお他の民族には克服されていない。それゆえ、他の民族はユダヤ人の自負の正しさを信じてしまっているかのようである。

フロイトによれば、一連のユダヤ人憎悪のなかの最新のものとして、極めて露骨にユダ人憎悪を示しているすべての民族が歴史時代のかなり経過してからはじめてキリスト教徒になった事実である。この際、多くの場合、流血の惨状をみる強制によってキリスト教徒にさせられた事実を忘れてはならない。

これらの民族はみな「粗末に改宗させられた」のであり、キリスト教という薄いうわべの飾りの下で、彼らは野蛮なる多神教に忠誠を誓っていた彼ら先祖と何ら変わらないままであったと言ってよい。彼らはこの新しい、彼らに押し付けられた宗教（キリスト教）に対する恨みの念を克服できずに、この恨みの念をキリスト教の源泉へと置き換えたのである。

フロイトによれば、四つの福音書（筆者註：マタイよる福音書、マルコによる福音書、ルカによる福音書、ヨハネによる福音書）のあいだの、そして元来はユダヤ人だけを描いている歴史を物語っている事実もこのような置き換えが起こるのを容易にした。彼らのユダヤ人憎悪の根本においてキリスト教憎悪であり、二つの一神教的宗教のこの緊密な関係が、ドイツにおけるナチジムの革命のなかで、双方に対する敵愾心に満ちた取り扱いというかたちで大変明瞭に現れている事情は驚くにあたらない。

イギリス亡命

一九三八年三月一五日、アーネスト・ジョーンズはフロイトの気持を変えようとプラーグから小型単葉機に乗ってウィーンに向かった。この日は、ヒトラーが宮殿広場でオーストリア国民に向かって演説をした歴史的な日であった。フロイトの気持を変えるというのは、フロイトのイギリス亡命のことである。ジョーンズの勧めにたいして、フロイトはウィーンにとどまる決心をどうしても変えようとしなかったからある。

当時、八二歳のフロイトは口蓋ガンの放射線治療を受けていた。フロイトの口蓋ガンの手術は一九二二年ごろから大小あわせて三三回も行われた。フロイトはイギリスに住める可能性が十分あったにもかかわらず、ウィーンに留まる気持を変えようとしない。ジョーンズが「タイタニック号の二等航海士ライトラーは船を見捨てなかったが、船が彼を見捨てたのだ」と言うと、フロイトはその言葉が気に入ったのか、ジョーンズの勧めに同意した。

残る最大の困難は出国許可証であった。出国の審問は詳細に続けられた。その間、ナチ当局はありもしない項目の所得税をでっち上げて、フロイトに多額の金を払うように要求した。いっぽう長男のマルチン・フロイトは何度もゲシュタポに呼び出されて尋問される。フロイトに衝撃を与えたのは、三女アンナ・フロイトがゲシュタポに逮捕され一日中勾留された時であった。もっとも頼りにしていた娘が強制収容所送りになるのではと思うだけでも、フロイトは生きた心地がしなかった。出国の見通しがついた五月ごろ、フロイトはロンドンにいる息子のエルンストに次のような手紙を書いている。

　この暗い日々にも心をはげますことが二つあります。あなた方に再会できることと自由のなかで死ぬことです。時々、私は自分を、あの年老いた時、子どもたちにエジプトに連れて行かれたヤコブにくらべてみることがあります。

ナチ当局は、フロイトに出国旅券を与える条件として、次のような文書に署名するように要求してきた。その文書とは次のような内容のものであった。

「私、フロイト教授はここに以下のことを宣誓する。ドイツのオーストリアの併合以後、ドイツ当局、ことにゲシュタポは、私の学問的名声にふさわしい尊敬と考慮をもって私を遇してきたこと、私は完全に自由のうちに生活し仕事したこと、私の望むままの方法で私の研究を続けることができたこと、この点に関係するすべての者から十分な支援をうけたこと、および、不満を申し立てるべき一切の理由をみいだせなかったこと、以上である」

フロイトは、もう一項つけ加えていいかどうかたずねた。「私は、全ての人にゲシュタポを心から推薦する」という文言であった。もちろんこれはゲシュタポにたいする最大の皮肉であったことは言うまでもない。

一九三八年六月四日、妻と娘と二人の手伝いの女性とともにフロイトは七九年間住んだウィーンをあとにした。ロンドン到着後まもなく、フロイトのもとにイディッシュ科学協会の委員会から敬意を表したいという連絡が入った。フロイトは一九一九年以来、ウィーン支部の名誉総裁でもあったからだ。フロイトは次のような返事を出した。

> ご挨拶をいただき大変嬉しく思いました。私の宗教にたいする態度は、われわれユダヤ人の宗教をふくめて、批判的、かつ否定的でありますけれども、私は自分がユダヤ人であることを、誇らしく認めていることは、疑いもなくご承知のことと思います。ウィーンでの最近の出来事と激しい旅行のあとの疲労から、ある程度回復しましたなら、よろこんでお会いすることになろうと思います。

実際、フロイトが協会のメンバーと会見できたのは一九三八年一一月七日である。フロイトは、その日の会見のことを、後日アーネスト・ジョーンズに語った。それはフロイトが『モーセと一神教』について自分の見解を述べ、また、相手からはそのことを公表しないようにという警告を受けたことであった。このことについてフロイトは手紙に次のように書いている。

> われわれユダヤ人は、つねに、いかに精神的価値を尊重するべきかを心得てきました。われわれは、われわれの統一を、思想によって保ってきたのであり、思想ゆえにこそ、われわれは今日まで存在し続けたのです。

死ぬ一ヵ月前の一九三九年八月、フロイトはモーゼス・ガスター博士のあとを受けてロンドンのイディッシュ科学協会の総裁になるように頼まれ、フロイトは次のように答えている。というのは、前年の八月、ロンドンに到着した二ヵ月後になるが、『モーセと一神教』がアムステルダムで印刷され、そのドイツ語版が一年たった三九年八月ごろには、二〇〇〇部ほど売れていたからである。

> 私の著書『モーセと一神教』が、ユダヤ人の間に引き起こした強い反対を考えてみると、そういう地位についた私の名を公衆に示すのは、イディッシュ科学協会の利益にはならないのではないかと思います。

フロイトは最晩年の著作『モーセと一神教』で、モーセはエジプト人でアーメンホテプ四世の高官であると発表した。しかも、フロイトはユダヤ教がもつ一神教の誕生について、自分が長年研鑽をつんだ精神病理学における神経症の発生から、それに類似する現象として説明したのである。そしてフロイトは、この神経症症状に似た結果こそが宗教という現象にほかならないと考えたのである。

ミネルヴァの梟《ふくろう》は黄昏時に飛び立つ

フランスの哲学者ジル・ドゥールズは、『ニーチェと哲学』で「哲学はすみずみまで徴候学である」と言っている。「徴候」とは「物事の起こる前触れ。きざし。しるし」であるが、類語辞典には「徴候、吉兆、吉相、曙光、暗影」の言葉があり、解釈よっては正反対の意味もつ。ジル・ドゥールズは「ニーチェの偉大さは怨恨とやましい良心を区別することを知っていた。従来の哲学（弁証法やカント哲学）は兆候にとらわれており、徴候に意味や価値を与える力にも意志にも気づいていなかった」と指摘している。

冒頭からこんな話をするのも、ニーチェの哲学を読む人によって実に多様な解釈がなされているが、私がこれから述べることはドゥールズの指摘するニーチェの兆候学にあてはまる事例でないかと最近考えるようになったからである。

二〇一一年三月一一日（金曜日）の前代未聞の大地震が起こった日、午前九時と午後一時からの二回にわたるＮＨＫの参議院決算委員会の放映が予定されていた。私はたまたまその日は午前一一時ごろからテレビにくぎ付けになっていた。

当時、菅首相は「消費税と社会福祉の一体化」と「尖閣諸島中国漁船衝突事件」など、内政・外交の不手際で国民の支持率が急激に落ちていた。また、菅首相は在日韓国人から計一〇四万円を受け取っていたことが明らかになり、自民・公明・みんなの党による辞任を求める質疑応答に窮地に立っていた。

午前二時二六分ごろ、突然、ＮＨＫの「緊急地震速報」の警鐘が鳴り響くや、第一員会の議員が総立ちになって天井を仰いだ。頭上のシャンデリアが左右上下に激しく揺れ、いまにも落下しそうだ。議員の何人かは机や椅子にすがりつきながら移動しようとするが思うように歩くことができない。ただ一人菅首相は着席したまま茫然と天井を仰いでいる。

まもなくテレビは都心の高層ビルの大きく揺れる映像からコールタールのように黒い塊となった巨大な津波が何百台の車や船や真っ赤に燃えている家を載せて数キロの幅で広い田畑を嘗め尽くしていく映像に変わる。以後、ＮＨＫテレビは国会議事堂内の映像を中止し、地震速報に終始した。

この日、私は国会議事堂内のいつもと変わらぬ平板な国会質問風景と、防波堤を越えた濁流が渦巻きながら市街の家々を粉々にして海に吐だす大自然の恐るべき力を目の当たりにしたが、その数分間で強く印象付けられたのは無表情で緩慢な一国の首相の無力な姿であった。

かくして大地震発生から二年四ヵ月で政局は菅内閣の総辞職から野田政権へ、そして野田首相の「近いうちの消費税解散（賛成一八八票、反対四九票）→安倍内閣の誕生と「アベノミクス」（株高・円安）→特定秘密保護法案可決（二〇一三・一二・七、賛成一三〇、反対八二）、→「集団的自衛権の閣議決定」（二〇一四・七・一）と急展開した。

日本国内の大半の学者・知識人・文化人・宗教人・芸能人が嫌がる「集団的自衛権の閣議決定」の後、安倍首相はオセアニア三ヵ国（ニュージーランド、オーストラリア、パプアニューギニア）を訪問し、パプアニューギニアの首都でオニール首相と会談し、今後三年間二〇〇億円規模の政府開発援助（ＯＤＡ）を供与すると表明した。

この日の夜は、福島原発メルトダウン以来続いている抗議デモがヒトラーに似せた安倍首相のプラカードをもって国会議事堂の周辺を練り歩く。麻生副首相の「ナチス政権の手口発言」（二〇一三・八・一〇）から、この手のプラカードが増えた。確かにこの嫌がる者の心深くに恐怖心を植え付ける発言は、ヒトラーのやり方に似ている。

相手に強く出て恐れさせ、まやかし、混乱させ、あきらめさせる遣り口をヒトラーはよく用いた。ユダヤ人をユダヤ人として暴き、追跡し、恐れさせ、絶望のアウシュヴィッツに送ることはユダ人でないものを安心させ、喝采を呼ぶ。ただ自分に恐怖心が降りかかってこないからである。

靖国神社に参拝し、ジュゴンやウミガメのいる辺野古の青い海に巨大な軍事基地の建設を強行し、平和憲法第九条を修正し、中国や韓国を怒らせ、アメリカを苛立たせ、沖縄県民を悲しませるやり方は、昨今、目にあまる安倍政権の政治・外交である。安倍政権の基本的な外交姿勢はアメリカを基軸とする嫌中国・韓国、親インド・フィリピン・インドネシア、モンゴルEPA（経済連携協定）による対中国包囲外交である。

かつて蒋介石・毛沢東の国共合作のきっかけとなった盧溝橋事件の一木清直大隊二三〇〇名はのちミッドウェイ島攻略部隊として待機していたが、ミッドウェイ海戦が敗れたのでカダルカナル島に派遣され全滅した。一木大隊長の上官牟田口廉也連隊長もビルマ方面軍第一五軍司令官としてインド北東部のインパール攻略に失敗し、参加将兵八万六〇〇〇人のうち戦死者三万〇〇人（餓死者を含む）の被害をもたらした。

そもそも連合艦隊司令長官山本五十六のミッドウェイ攻略作戦は、米・オーストラリア遮断作戦を実施し、中部太平洋の制海権を確保し、ソロモン群島を制圧し、ニューカレドニア、ニューヘブリデス、サモアへ進出すると同時に、ニューギニア南方のポートモレスビー侵攻を意図するものであった。

日本軍がベトナム（当時仏領インドシナ）に進駐したもの、アメリカから石油の全面輸出禁止の制裁を受けたからである。サイゴンはアメリカ領フィリピン、オランダ領のインドネシアを攻撃できる適地であった。マッカーサーはフィリピンを脱出しメルボルンに避難した。マッカーサー指揮による米軍が「飛び石作戦」によって沖縄に上陸したのはよく知られている話である。

現安倍政権の外交相手である中国、韓国、北朝鮮、そして東南アジアのベトナム、タイ、インドネシア、フィリピン、それにオセアニア三ヵ国、そしてアメリカは、日本の前歴、すなわち歴史的出来事が記憶として深く刻み込まれている。外交辞令や経済援助・制裁や条約や口先外交では本当の外交は成立しない。やましい良心が透けて見えるからである（ドゥールズ『ニーチェと哲学』「第四章　怨恨からやましい良心へ」参照）。

ヒトラーは「悪の徴候」を読み取る天才であった。そのヒトラーの「悪の徴候」は領土侵略戦争とアウシュヴィッツとユダヤ人虐殺によって証明されている。ヒトラーは弁舌も巧みであったが、実際に言ったことを実行した。そのことが周辺諸国とその国民を逡巡させた。本書はその類まれな恐るべきヒトラーの出来事を書いた。

ちなみにマルクスは「ヘーゲルはどこかで言っている。あらゆる世界史上の偉大な出来事と人物は二度現れると。彼がこう付け加えることを忘れていた。〝一度目は悲劇として、二度目は茶番して〟」と書いている。

日本の首相安倍晋三はマッカーサーの真似をしようとしているが、連合軍最高司令官マッカーサーでさえ、無条件降伏をした天皇の帽子を拝借して敗戦国日本の憲法を創った。しかし安倍首相（岸信介の孫）と麻生副首相（吉田茂の孫）は二人一組（二人三脚）になり、マッカーサーと天皇の帽子をかぶろうとしているが、それは誰が見ても「子どもの無理難題」と同じ類のものである。

首相安倍晋三がヒトラーに似ていないのはもちろん、毛沢東やマッカーサーやスターリンにさらさら似ていない。ましてや天皇ではありえない。偉大な〝よい出来事〟ならよい。〝単なる茶番劇〟なら修復できる。しかし〝茶番劇〟が〝恐るべき悲劇〟にならないとは決して言いきれない。マッカーサーや天皇の笠をかぶって悪ふざけをすべきでない。坊っちゃんたちの〝火遊び〟や〝嘘〟や何でもかんでも手を出す〝モノ好き〟は放っておいてはいけない。

＊　＊　＊

一九六〇年前後に始まった〝高度成長経済〟の煽《あお》りを受けて、今や日本の地方は疲労困憊している。郷里の友人から次のようなファックスが届いていた。宇都宮大学で農協経済を学んだ友人は一四、五年前に「全購連」（ＪＡ全農の前身）を退職して以来、現在まで秋田県雄物川の辺の由緒ある家の後を継いでいる。

　ご実家の嫁さんが「伯父さまからの預かりものです！」と貴方の書いた『アマテラスの正体』と一緒にお菓子も頂戴しました。今度帰郷の際は是非ご一報ください。積もる話がありますから……。

　今の田舎はまさに〝サイレントスプリング〟です。……蛍がいない！　ドジョウもいない！　裏の田圃から蛙の合掌も全然聞こえなくなりました！　松くい虫の被害でドントンかれていってしまいます。

　河原の石もネロネロしています。カジカもゴリも全く姿を消し、アユを釣る人も少なくなりました。横手に飲みに行っても帰ってくるバスもありません。若い子（特に女子）は高校を卒業すると東京に行ってしまいます。道筋の家並みも廃家が二、三件見えるようになりました。

少子化が進み、小中学校も統廃合の嵐です。伝統の校歌は無くなり、私たちの心の故郷〝……鳥海の山に天そそり……〟も間もなく無くなります。なんと寂しいことでしょう。

日本の地方の過疎化は約五五年の歳月を経て、東京の過密化に逆比例しながら、今最終コーナーにさしかかっている。しかしもし〝ミネルヴァの梟が黄昏時に飛び立つ〟（ヘーゲル『法の哲学』）であるならば、戦後、象徴天皇制の憲法のもとで分相応に営々と納税義務を果たしている国民のほとんどは、〝今なにをすべきかを知っている賢明なる一国の首相〟を心からの望んでいない筈はない。

二〇一四年九月末日

林　順治

〔著者紹介〕

林　順治（はやし・じゅんじ）

旧姓福岡。1940 年東京生れ。東京空襲の 1 年前の 1944 年、父母の郷里秋田県横手市雄物川町深井（旧平鹿郡福地村深井）に移住。県立横手高校から早稲田大学露文科に進学するも中退。1972 年三一書房に入社。取締役編集部長を経て 2006 年 3 月退社。

著書に『馬子の墓』『義経紀行』『漱石の時代』『ヒロシマ』『アマテラス誕生』『武蔵坊弁慶』『隅田八幡鏡』『アマテラスの正体』『天皇象徴の日本と＜私＞ 1940-2009』『八幡神の正体』『古代七つの金石文』『法隆寺の正体』『日本古代国家の秘密』『ヒトラーはなぜユダヤ人を憎悪したか』『「猫」と「坊っちゃん」と漱石の言葉』『日本古代史問答法』『エミシはなぜ天皇に差別されたか』『沖縄！』『蘇我王朝の正体』『日本古代国家と天皇の起源』（いずれも彩流社）。『応神＝ヤマトタケルは朝鮮人だった』『仁徳陵の被葬者は継体天皇だ』（河出書房新社）『日本人の正体』（三五館）『漱石の秘密』『あっぱれ啄木』（論創社）『日本古代史集中講義』『「日本書紀」集中講義』『干支一運６０年の天皇紀』『天皇象徴の起源と＜私＞の哲学』『改訂版・八幡神の正体』『日本古代史の正体』『天武天皇の正体』『日本書紀と古事記』『天皇の系譜と三種の神器』（えにし書房）。

隠《かく》された日本古代史《にほんこだいし》 Ⅱ——存在《そんざい》の故郷《こきょう》を求《もと》めて

2023 年 6 月 15 日　初版第 1 刷発行　　定価はカバーに表示してあります

著　者　**林　順　治**

発行者　**河　野　和　憲**

発行所　株式会社　**彩 流 社**

〒 101-0051　東京都千代田区神田神保町 3-10　大行ビル 6F

電話　03 (3234) 5931　FAX　03 (3234) 5932

http://www.sairyusha.co.jp

印刷・製本　㈱丸井工文社

装幀　小 林 厚 子

落丁本・乱丁本はお取替えいたします　　ISBN978-4-7791-2905-6 C0021